Web 3.0은 블록체인인가

허강욱 지음

부크크

프롤로그

WEB 3.0 이란 용어가 나온지 몇 년이 흘렀지만, 대중들은 WEB 3.0에 대한 개념 조차 모르는 경우가 대부분이다.

2024년 초 글로벌 컨설팅 업체에서 대표적인 글로벌 회사들을 대상으로 설문조사한 보고서 내용에서도 약 20% 정도가 WEB 3.0 개념을 이해하는 정도이며 대부분은 WEB 3.0 이 인터넷의 새로운 버전 정도로 인식하고 있는 상황이다.

그와 더불어 WEB 3.0이 탈중앙화 가치가 강조됨으로 인해 마치 블록체인인 것처럼 과대 포장되거나 마케팅으로 활용하는 사례가 대부분으로 오히려 대중들에게는 혼란을 야기하면서 WEB 3.0 의 진정한 의미와 가치를 퇴색하게 하고 있는 실정이다.

WEB 3.0 의 진정한 의미와 가치를 이해하고 이를 통해서 변화될 환경과 기회 그리고 WEB 3.0이 추구하고자 하는 세상을 이해하는 차원에서 기본 개념 부터 이를 구성하는 구성요소가 무엇인지 하나하나 단계별로 알아 보면서 WEB 3.0 의 개념을 제대로 이해할 수 있는 전문서적으로 자리매김 하길 바라는 마음에서 이 책을 집필한다.

목차

목차

제 1 장 Web 3.0 이란

Web 3.0 이란 _ _ _ _ _ _ _ _ _ _ _ _ _ _ _ _ _ _ 16

Web 3.0 의미 _ _ _ _ _ _ _ _ _ _ _ _ _ _ _ _ _ _ 19

Web 3.0 개념 _ _ _ _ _ _ _ _ _ _ _ _ _ _ _ _ _ _ 21

제 2 장 Web 3.0은 블록체인 인가

Web 3.0과 블록체인 관계 _ _ _ _ _ _ _ _ _ _ _ _ 30

제 3 장 Web 3.0 동향

Web 3.0 동향 _ _ _ _ _ _ _ _ _ _ _ _ _ _ _ _ _ _ 36

제 4 장 Web 3.0 추진 사례

Web 3.0 추진 유형 _ _ _ _ _ _ _ _ _ _ _ _ _ _ _ 42

Web 3.0 추진 사례 - 나이키(Nike) _ _ _ _ _ _ _ 45

Web 3.0 추진 사례 - 스타벅스 오디세이 _ _ _ _ 51

Web 3.0 추진 사례 - 구찌(Gucci) _ _ _ _ _ _ _ _ 56

Web 3.0 추진 사례 - 아디다스(Adidas) _ _ _ _ 62

목차

Web 3.0 추진 사례 - 푸마 (Puma) ______ 66

Web 3.0 추진 사례 - 자동차 브랜드 ______ 72

제 5 장 Web 3.0 구성 요소

Web 3.0 구성 요소 ______________ 86

Web 3.0 핵심 구성 요소 ____________ 88

Web 3.0 주요 기술 ______________ 89

Web 3.0 구축을 위한 필요 요소 _________ 91

Web 3.0 기반 구축 가능한 플랫폼 _______ 93

Web 3.0 구축을 위한 필요 요소 _________ 94

제 6 장 Web 3.0 인프라

Web 3.0 인프라 ______________ 100

Web 3.0 인프라 핵심 구성 요소 _______ 103

제 7 장 Web 3.0 Wallet

Web 3.0 Wallet ______________ 112

목차

Web 3.0 지갑 유형 _ _ _ _ _ _ _ _ _ _ _ _ _ 117

Web 3.0 지갑 필수 기능 _ _ _ _ _ _ _ _ _ _ _ 120

제 8 장 Web 3.0 기반 NFT

Web 3.0 기반 NFT _ _ _ _ _ _ _ _ _ _ _ _ _ 126

Web 3.0 기반 NFT 활용 영역 _ _ _ _ _ _ _ _ _ 130

새로운 토큰인 소울 바운드 토큰 (SBT) _ _ _ _ 132

Web 3.0 기반 NFT 추진 사례 _ _ _ _ _ _ _ _ _ 133

제 9 장 Web 3.0 기반 분산형 금융 (DeFi)

Web 3.0 기반 분산형 금융 _ _ _ _ _ _ _ _ _ _ 140

Web 3.0 기반 분산형 금융의 이점 _ _ _ _ _ _ _ 145

Web 3.0 기반 분산형 금융 핵심 요소 _ _ _ _ 146

Web 3.0 분산형 금융 프로토콜 유형 _ _ _ _ _ _ 149

Web 3.0 기반 분산형 금융 기능 _ _ _ _ _ _ _ _ 151

분산형 금융 파생 기능 (MetaFi) _ _ _ _ _ _ _ _ 155

분산형 금융 파생 기능 (GameFi) _ _ _ _ _ _ _ 157

목차

분산형 금융 파생 기능 (NFTFi) _ _ _ _ _ _ _ 162

분산형 금융 파생 기능 (ReFi) _ _ _ _ _ _ _ _ 168

Web 3.0 기반 분산형 금융 고려 사항 _ _ _ _ _ 172

제 10 장 Web 3.0 기반 토큰화 (RWA)

Web 3.0 기반 실물자산 토큰화 (RWA) _ _ _ _ 178

실물자산 토큰화 이점 _ _ _ _ _ _ _ _ _ _ _ _ 182

실물자산 토큰화 기술 영역 _ _ _ _ _ _ _ _ _ 188

제 11 장 Web 3.0 게임 (Game)

Web 3.0 게임 _ _ _ _ _ _ _ _ _ _ _ _ _ _ _ 200

블록체인이 필요한 이유 _ _ _ _ _ _ _ _ _ _ 202

Web 3.0 게임의 필수 요소 _ _ _ _ _ _ _ _ _ 206

Web 3.0 게임 추진 사례 _ _ _ _ _ _ _ _ _ 209

Web 3.0 게임의 과제 _ _ _ _ _ _ _ _ _ _ _ 218

Web 3.0 게임의 미래 시사점 및 전망 _ _ _ _ 221

목차

제 12 장 Web 3.0 기반 메타버스 (Metaverse)

Web 3.0 기반 메타버스 _ _ _ _ _ _ _ _ _ _ _ 228

Web 3.0 기반 메타버스 추진 사례 _ _ _ _ _ _ 230

Web 3.0 기반 메타버스 동향 _ _ _ _ _ _ _ _ _ 235

Web 3.0 기반 메타버스 활용 사례 _ _ _ _ _ _ 237

제 13 장 Web 3.0 기반 인공지능 (AI)

Web 3.0 기반 인공지능 _ _ _ _ _ _ _ _ _ _ _ 246

Web 3.0 기반 인공지능 적용 영역 _ _ _ _ _ _ 248

Web 3.0 기반 인공지능 채택 및 과제 _ _ _ _ 257

제 14 장 Web 3.0 로열티 (Loyalty)

Web 3.0 로열티(Loyalty) _ _ _ _ _ _ _ _ _ _ 264

제 15 장 Web 3.0 마케팅 (Marketing)

Web 3.0 마케팅 _ _ _ _ _ _ _ _ _ _ _ _ _ _ _ 272

Web 3.0 마케팅 - 마케팅 퍼널 _ _ _ _ _ _ _ _ 280

목차

Web 3.0 마케팅 - 이벤트 _ _ _ _ _ _ _ _ _ _ 284

Web 3.0 마케팅 - 커뮤니티 _ _ _ _ _ _ _ _ _ _ 286

Web 3.0 마케팅 구축 사례 _ _ _ _ _ _ _ _ _ _ 288

제 16 장 Web 3.0 탈중앙화 자율조직 (DAO)

Web 3.0 탈중앙화 자율조직 _ _ _ _ _ _ _ _ _ 292

Web 3.0 탈중앙화 자율조직 유형 _ _ _ _ _ _ _ 295

Web 3.0 탈중앙화 자율조직 주요 특성 _ _ _ _ 296

Web 3.0 탈중앙화 자율조직 구성 요소 _ _ _ _ 300

Web 3.0 탈중앙화 자율조직 고려 사항 _ _ _ _ 302

Web 3.0 탈중앙화 자율조직 구축 방안 _ _ _ _ 304

Web 3.0 탈중앙화 자율조직 추진 사례 _ _ _ _ 306

제 17 장 Web 3.0 보안 (Security)

Web 3.0 보안 _ _ _ _ _ _ _ _ _ _ _ _ _ _ _ _ 314

Web 3.0 보안 사고 유형 _ _ _ _ _ _ _ _ _ _ _ 316

Web 3.0 보안 구축 방안 _ _ _ _ _ _ _ _ _ _ _ 318

목차

제 18 장 Web 3.0 전망

Web 3.0 전망 _ _ _ _ _ _ _ _ _ _ _ _ _ _ _ _ 326

제 19 장 참고 문헌

참고 문헌 _ _ _ _ _ _ _ _ _ _ _ _ _ _ _ _ _ _ 334

제 1 장

Web 3.0 이란

Web 3.0 이란 16
Web 3.0 의미 19
Web 3.0 개념 21

제 1 장 Web 3.0 이란 ?

Web 3.0을 이야기하기 전에 Web 3.0의 흐름부터 이야기를 해보고자 한다. 우리가 알고 있는 웹은 인터넷을 기반으로 한 웹 기술과 이를 통한 서비스와 비즈니스의 발전과정을 나누어 설명할 때 웹 1.0 과 웹 2.0 으로 구분해 왔다.

이미 이부분을 대부분의 기업과 대중들은 잘 이해하고 있는 부분으로 웹 1.0은 1990년대 중반부터 2005년 무렵까지의 웹 생태계를 의미하며 웹 브라우저와 전자상거래 사이트 중심의 초창기 웹 시대였다.

웹의 변화가 일어난 시점은 스마트폰인 아이폰의 등장으로 인한 모바일 인터넷의 빠른 확산과 페이스북의 성공을 통한 소셜 네트워크의 성장으로 이에 따른 웹 생태계의 개인 참여 확대와 클라우드 서비스가 일반화 되면서 다양한 P2P 서비스의 O2O 비즈니스 모델의 성장을 웹 2.0으로 정의하고 있으며 현재 우리가 사용하고 있는 웹을 의미한다.

그럼 Web 3.0 용어는 갑자기 나온 것일까 ? 이미 Web 3.0의 용어는 웹의 창시자인 팀 버너스리 (Time Berners Lee) 가 처음으로 사용한 용어이며 이후 여러 웹 전문가들의 다양한 형태로 정의가 되면서, 공통적인 의미에서 앞으로 다가올 새로운 웹 생태계를 일컫는 의미로 통용되고 있다.

이미 언급한 대로 다양한 전문가들과 기업들이 정의하고 있는 Web 3.0의 의미를 알아보면, 가트너 (Gartner)는 사용자가 자신의 ID와 데이터를 제어할 수 있는 탈중앙화 웹 응용 프로그램 개발을 위한 새로운 기술 스펙으로 정의하고 있으며, 궁극적으로는 블록체인 탈중앙화 어플리케이션인 (Decentralized Application Dapp) 기반의 애플리케이션으로 기반 기술 Set이 전환되는 의미로 보고 있다.

딜로이트는 메타버스를 포함한 XR, 탈중앙화 웹, 보안, 개인정보 보호, 익명성, 크레이터 경제가 활성화되는 포괄적인 관점의 웹을 Web 3.0으로 정의하고 있으며, 골드만삭스는 스마트폰과 XR, 음성과 IoT를 통해 상호작용하는 환경속에서 분산 원장 기반의 블록체인 기술이 포함된 웹으로 정의하고 있다.

이와 같이 기업들이 바라보고 있는 Web 3.0의 시점은 분산형 웹 형태로 전환되는데, 그 기반이 되는 것이 블록체인과 그 외 기술의 조합으로 보고 있으며, 특히 탈중앙화 환경을 구현하기 위해서는 블록체인이라는 기술이 필요한 요소로 바라보고 있다.

WEB 3.0의 의미 - 소유권

Web 3.0은 다양한 입장에서 그 의미를 정의하고 있는데, 그 중에 첫번째로 콘텐츠에 대한 소유권이다.

기존의 웹 1.0 에선 콘텐츠 제공자가 정보를 제공하는 사용자는 이 정보를 일방적으로 소비하는 구조로 정보만 표시하고 읽기 전용 웹사이트 형태였다면, 웹 2.0 에서는 사업체가 플랫폼을 만들고 사용자는 플랫폼에 참여해 콘텐츠를 생산하기 시작하면서 해당 콘텐츠를 통해 광고와 수수료에 대한 수익을 얻는 구조로 사용자 생성 콘텐츠에 읽기-쓰기 기능이 도입되었다.

Web 3.0 에서는 콘텐츠 제공자가 제공하는 정보에서 플랫폼 기반으로 발전하여 데이터에 대한 소유권을 가지는 형태로 사용자들은 자신이 만든 콘텐츠의 경제적 가치를 누릴 수 있는 구조로 데이터에 대한 소유권이 사업체의 플랫폼이 아닌 개인 소유로 전환되는 것으로 쉽게 말하면 사용자에게 통제권을 위임하는 인터넷 지능형 버전으로 등장했다고 볼 수 있다.

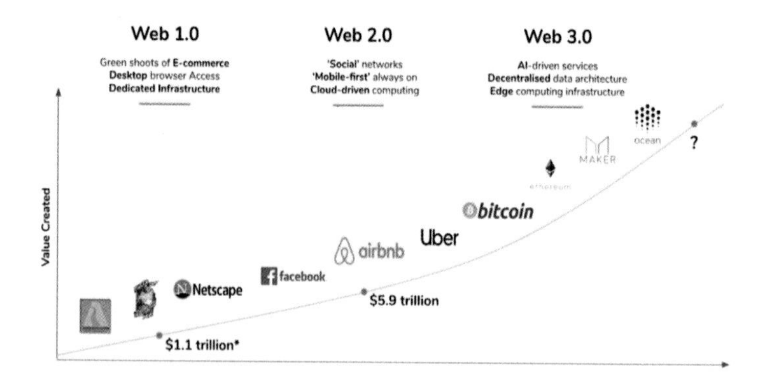

출처 : 가상자산 리서치 업체 메사리, Crypto Theses 2022

WEB 3.0의 의미 - 자기주권 방식

두번째로, Web 3.0 에서는 자기 주권적 신원 기반의 로그인 서비스가 제공받고 싶은 서비스에 본인의 권한 하에 데이터를 직접 제출할 수 있는 구조이다.

Web 1.0은 개별 신원 모델이라고 하며, 인터넷 사이트에서 각각의 ID/PW를 발급 받아서, 로그인 절차를 거쳐야 하며 수많은 인터넷 사이트에 개별적으로 가입해야하는 하는 번거로움이 있다.

Web 2.0 은 연합 신원 모델로서 인터넷 사이트를 로그인할 때, 기존에 사용하고 있는 SNS 계정을 활용하는 방식이며 특정 서비스에 개인 정보가 집중되는 구조이다.

Web 3.0 은 자기주권 신원 모델이라고 하며, 모바일로 신원 증명을 제출하는 방식으로 다양한 서비스를 이용할 수 있으며 개인정보를 본인이 직접 단말 내에 관리할 수 있는 방식이다.

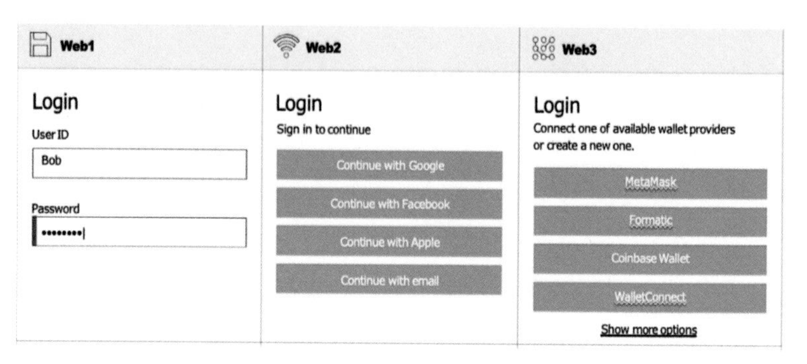

출처 : HSBC

이러한 방식은 사용자가 신뢰할 수 있는 제3자가 없이 공개적이거나 비공개로 상호 작용할 수 있다는 점에서 개방적이고 신뢰할 수 없는 인터넷이며 누구나 참여할 수 있다는 점에서 무허가형이라고 할 수 있다.

세번째로 Web 3.0 은 데이터를 탈중앙화된 저장 공간에 저장되며, 데이터의 경제적 가치는 블록체인 상에서 데이터를 통해 증명할 수 있는 구조이다.

이러한 경제적 가치를 보장하기 위해 조직은 플랫폼 상 토큰, 즉 가상자산을 보유한 사용자들이 운영에 참여하는 탈중앙화 자율조직 (DAO) 형태로 운영되는 구조를 채택하고 있으며 현재 시장에 진출한 Web 3.0 프로젝트들 대부분이 이와 같은 조직 형태로 운영되고 있다.

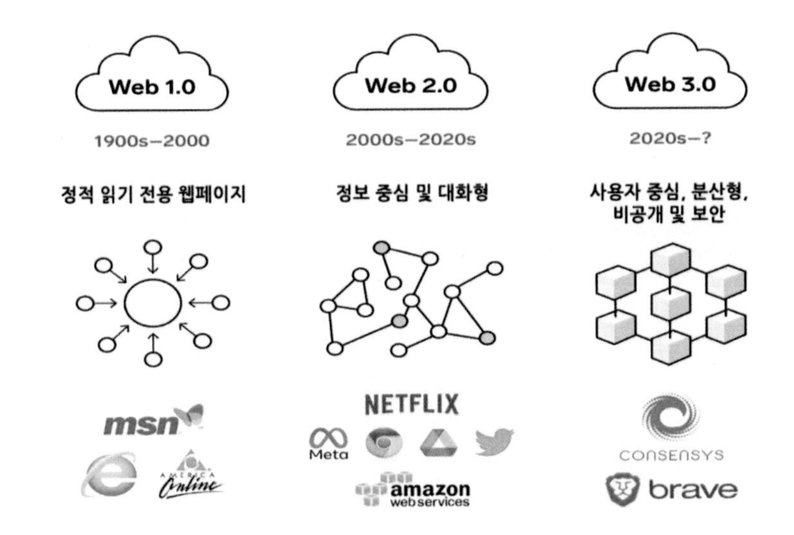

출처 : INSIDER

Web 3.0 는 접근하는 관점에서 다양한 의미를 가지고 있으며, 기존의 웹 환경에서 데이터와 사용자 입장에서 권한이 달라지는 것이 주요한 항목이라고 볼 수 있다.

WEB 3.0 개념

본질적으로 Web 3.0에 대한 개념을 시작하기 전에 Web 3.0에 대한 인지도를 살펴보고자 한다.

Toluna 의 보고서를 기반으로 Web 3.0에 대한 인지도와 그것이 무엇인지를 설문조사한 결과를 보게 되면 대부분은 여전히 어떤 의미인지 인식하지 못하고 있으며 전반적인 이해도는 여전히 낮은 상태이다.

Web 3.0 이 무슨 뜻인지 안다고 하는 대상의 이해 수준은 여전히 낮거나 중간 정도이며 기본 개념을 설명할 수 있는 사람은 거의 없으며 대부분은 표면적으로 개념을 이해하거나 오해하고 있는 상황으로 "Web 3.0은 가장 빠른 인터넷 연결보다 더 빠르게 만드는 개념 " 으로 인식하거나 월드와이드 웹의 다음 진화의 단계로 보는 경우가 대다수이며 일부 응답자는 탈중앙화 웹이라는 의미로 " 블록체인 기술을 기반으로 분산화와 같은 개념을 통합한 웹 " 으로 인식하는 경우가 일부 비율로 존재할 뿐이다.

웹 3.0에 대한 인식 및 그것이 무엇을 의미하는지 알고 있음(%)

77%

23%

Are either
i. 전혀 모르고 있거나 알고 있지만 그것이 무엇을 의미하는지 모릅니다.

그것이 무엇을 의미하는지 알고 있고 알고 있습니다.

출처 : Toluna, Web 3.0 Metaverse & NFT

와 같이 Web 3.0은 설문자와 일반 대상자, IT 업계 담당자들에게 질문을 한 경우, 새로운 웹 개념으로 인식하고 있는 상황으로 기존방식과 기술에서 블록체인으로 단순한 접목한 형태라고 인식하다 보니, 기존의 방식을 Web 3.0으로 과대포장 하는 경우가 많은 사례가 나타나고 있다.

Web 3.0은 의미 그대로 웹 기술 진화의 3세대로 분산형 애플리케이션에 중점을 두고 블록체인 기술을 광범위하게 사용하는 형태이며, 이러한 환경을 통해 소비자는 해커로부터 보안이 강화되는 것과 자신의 개인 데이터에 대한 완전한 통제를 원하고 있다.

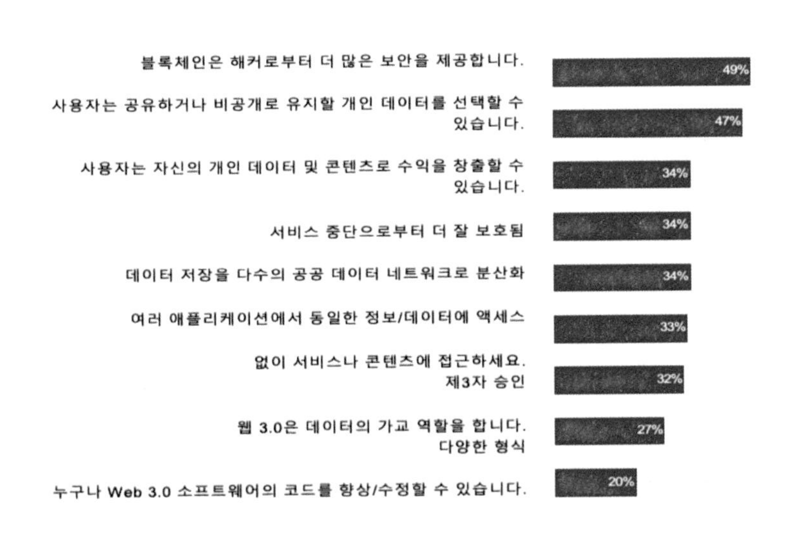

출처 : Toluna, Web 3.0 Metaverse & NF

이미 언급한 것 처럼, Web 3.0은 블록체인 기술을 기반으로 구축되는 구조로 사용자가 공동으로 제어하는 차세대 인터넷이라고 정의할 수 있다.

Web 3.0는 분산형 웹 형태로 분산되고 안전하며 모두에게 개방된 미래 인터넷에 대한 비전이며, 중앙 집중식 서버나 중개자에 의존하기 보다는 블록체인 및 기타 분산원장 기술을 사용하여 P2P 통신이나 거래를 가능하게 한다.

소비자와 상호작용하고 공감하는 브랜드와 적극적이고 공정한 가치 교환을 추구하고 사용자가 자신의 개인 데이터와 온라인 활동에 대해 더 큰 통제권을 갖고 모든 참가자가 네트워크에 기여하고 혜택을 누릴 수 있는 보다 공평하고 분산된 인터넷을 만드는 것을 목표로 한다.

브랜드와 소비자의 관계를 변화시키고 지역사회, 공동 창작과 공동 소유 기반으로 구성되어 새로운 사용자 기반 하에 참여 커뮤니티를 구축하고 대규모로 공동 제작할 수 있는 획기적인 기회를 제공하여 브랜드 성장과 소비자 상호작용의 환경을 재편하는 것이라고 할 수 있다.

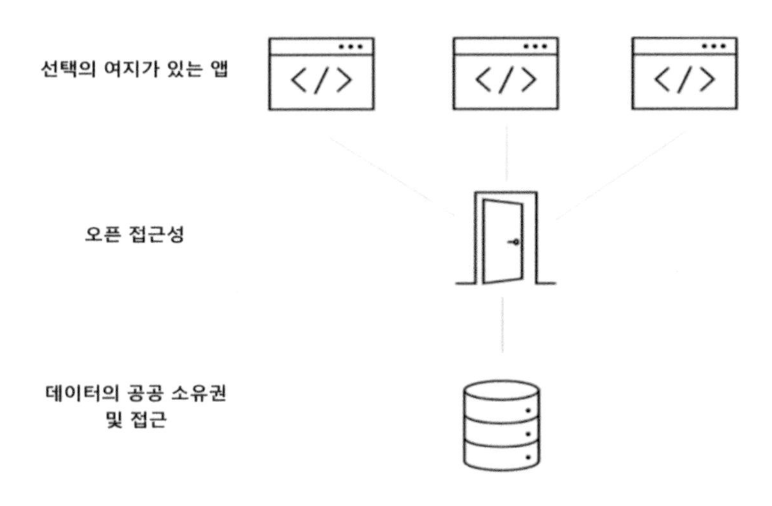

출처 : Delphi Pro, McKinsey & Company

현재의 웹의 본질적인 문제를 완화할 수 있는 기회로 다양한 플랫폼 기반으로 서비스 되고 있는 웹 환경에서 플랫폼은 사용자의 디지털 생활을 제어하고 사용자는 일방적으로 변경되는 규칙에 종속된 형태로 존재하는 현재의 웹에서 플랫폼에 종속된 상황을 개선할 수 있는 대안을 제공할 수 있다.

자신의 정보를 제어할 수 있는 권한을 갖게 됨으로 인해 정보 관리 방식과 인터넷에서 수익을 창출할 수 있는 방식, 웹 기반 기업의 기능 방식까지 변화 시킴으로써 서비스나 품질이나 효율성을 향상 시키는 것이 아니라, 시장 규칙과 규정을 조작하여 경제적 이익을 추구하는 것을 의미한다.

Web 3.0 은 사용자 데이터에 대한 제어가 분산되어 있는 형태로 구성된 것이 특징으로 사용자의 웹에 대한 차세대 진화로써 사용자가 디지털 중심 현실에서 점점 더 많은 시간을 보내면서 소비자의 선호도와 패턴이 급격하게 변화됨에 따라 좋아하는 브랜드를 형성하는데 참여하고 브랜드와 공동 창조하며 온라인 경험의 주인공이 되길 원하는 니즈에 부합되는 것으로, 주요 검색 엔진과 소셜 미디어 플랫폼과 같은 중앙 집중형인 플랫폼으로 부터 인터넷을 해방시키는 혁신적인 도약을 보여주는 것으로 직접적인 P2P 상호 작용을 촉진하고 디지털 영역내에서 사용자에게 자율성과 제어권을 부여하는 것이라고 볼 수 있다.

이러한 환경과 구조의 변화를 통해서 Web 3.0 은 실질적인 비즈니스 가치를 창출할 수 있는 기회를 제공하고 가치를 파악할 수 있는 환경을 제공함으로써 디지털 참여 기회를 정량화하고 관련성이 높은 콘텐츠를 통해 참여도 상승 효과를 제공할 수 있다.

사용자와 직접적인 관계를 구축하고 실제 소유 커뮤니티를 구축할 수 있는 새로운 채널과 인센티브 모델을 제공함으로써, 커뮤니티 공동 창조 중 하나로 브랜드는 공통의 목적과 가치관을 중심으로 통찰력, 패드백, 제안을 적극적으로 제공하려는 커뮤니티 구축을 통해 가능하다.

Web 3.0의 로열티는 디지털 참여와 브랜드 옹홍에 대한 보상을 통해 거래 구매 기반 보상을 넘어 열성팬과 더욱 감정적인 관계를 구축할 수 있는 매개체로, 기업은 소유 가능하고 거래 가능하며, 수집 가능한 보상을 제공함으로써 로열티 프로그램의 네트워크 효과를 더욱 확장할 수 있다.

Web 3.0은 디지털 희소성에 대한 새로운 개념을 도입하는 것에서 부터 시작하며, 의료문서에서 음악, 영화, 서적, 광고, 지적 재산권과 관련된 모든 것들에 대해서 강력한 커뮤니티에 서비스를 제공하거나, 이를 통해 수익을 창출하는 광범위한 디지털 콘텐츠 영역에서 운영되는 모든 비즈니스를 접목하는데 중점을 두어야 한다.

제 2 장

Web 3.0 블록체인 인가

Web 3.0과 블록체인 관계 30

제 2 장 Web 3.0 은 블록체인인가

Web 3.0 의 다양한 형태의 변화와 인프라를 구축하기 위해서는 여러가지 새로운 기술을 포함하여, 특히 블록체인 네트워크는 분산형 저장과 사용자 데이터 처리를 위한 인프라를 제공함으로써 중추적인 역할을 수행하게 된다.

블록체인 기술과 디지털 희소성의 출현으로 이중 지출 문제 해결, 지적 재산권 집행 자동화, 원활한 결제 촉진과 같은 문제를 해결하는데 있어서 비교할 수 없는 가능성을 제공하게 되었으며, 분산형 네트워크와 결합하여 가치 사슬을 간소화하고 국경간 거래를 촉진하는 스마트 계약의 혁신적인 역할은 비즈니스 환경을 근본적으로 변화 시킬 수 있다.

전통적인 시장 조성에는 브로커나 청산소와 같은 여러 중개자가 포함되어 비용과 지연이 추가될 수 있지만 Web 3.0 에서는 자동화된 시장 조성자라고 불리는 스마트 계약과 분산형 토큰 기능을 통해 시장 조성자는 광범위한 지역 인프라 없이도 다양한 지역에서 서비스를 더 쉽게 제공할 수 있다.

Web 3.0 은 커뮤니티를 기반으로 하여 커뮤니티를 중심으로 회전하는 토큰은 플랫폼 없는 소셜 생태계로 토큰화된 커뮤니티는 전체 네트워크에 대한 가치를 창출하여 모든 토큰 보유자에게 공급과 수요 측면에서 접근할 수 있게 하며, 분산형 ID 솔루션을 활용하여 사용자가 자신의 데이터에 대한 엑세스를 소유하고 제어할 수 있게 한다.

사용자는 인센티브나 보다 개인화된 광고 경험을 대가로 특정 데이터를 공유 하도록 선택할 수 있으며 보다 윤리적인 데이터 공유 모델을 촉진하여 기본 인터넷 인프라에서 디지털 콘텐츠인 데이터에 대한 가치를 구현할 수 있게 한다.

Web 3.0 인터넷 인프라에서 모든 데이터 조각은 NFT 또는 소울바운트 토큰 (Soul Bound Token[1], SBT) 으로 표시되는 방식으로 출처를 개발할 수 있다.

토큰화된 커뮤니티는 가치가 생성되고 공유되는 방식에 있어서 엄청난 변화를 보이며 소유권을 민주화하고 공유된 문화적 가치를 공유할 수 있는 장을 열어주는 역할을 하면서, 가치 창출 접근 방식을 우선시한다는 점에서 전통적인 비즈니스 모델과 뚜렷한 대조를 이룬다.

블록체인 네트워크의 분산 애플리케이션이 광고, 마케팅과 데이터 공유 윤리를 근본적으로 재구성할 수 있는 광고주를 위한 잠재적인 인센티브 모델에 의해 더욱 강화할 수 있으며, 이를 기반으로 단순한 기술 진화가 아니라 기업이 운영하고 성장하고, 이해 관계자와 소통하는 방식에 대한 패러다임의 변화를 일으키고 있다.

Web 3.0 은 단순한 블록체인 이나 모든 탈중앙화 생태계가 아니며,

1 특정 지갑 소유자의 신원을 나타내는 정보를 담고 있으며, 양도가 불가능한 토큰

블록체인은 Web 3.0 의 주요한 기술 중 하나로 적용된 형태로 블록체인이 제공하는 다양한 기술과 스마트 계약을 활용하여 데이터 소유권과 사용을 제어할 수 있도록 보장 하는 역할을 수행한다.

블록체인 기술영역 중 하나인 NFT 는 새로운 사용자 기반을 활용하여 브랜드를 중심으로 참여 커뮤니티를 구축하여 사물을 공동 제작하고 소유할 수 있는 환경을 제공할 수 있어, 디지털 재산권과 소유권 그리고 진정한 주민 의식을 통해 사용자는 선택 의지를 갖게 되며, 결과적으로 그들의 해동이 브랜드 정신에 더욱 밀접하게 일치하게 함으로써, 소유권이 확인되면 디지털 자산의 가치가 크게 향상되도록 도와 주는 역할을 한다.

이와 같이 블록체인은 Web 3.0 에서는 탈중앙화와 사용자 중심으로 생성되는 새로운 경제 매커니즘을 구현할 수 있는 기회를 제공함으로써, 현재의 한계에 봉착한 웹의 모델과 사용자와 기업의 니즈에 부합된 환경을 구축할 수 있는 중요한 역할을 담당한다고 볼 수 있다.

제 3 장

Web 3.0 동향

Web 3.0 동향 36

제 3 장 Web 3.0 동향

Web 3.0 은 2021년 기준으로 생태계 참여의 상업적 이점과 기회가 구체화되기 시작하였으며, 관심 대상에서 초기 단계로 진입함에 따라 기업들이 탐색하고 실험 할 수 있으며 고객에게 가치를 제공할 수 있는 잠재력이 있는 서비스를 제공하는데 필요한 것이 무엇인지 이해하기 위해 더 빨리 개념을 이해하고 적용하는 방안을 검토하기 시작했다.

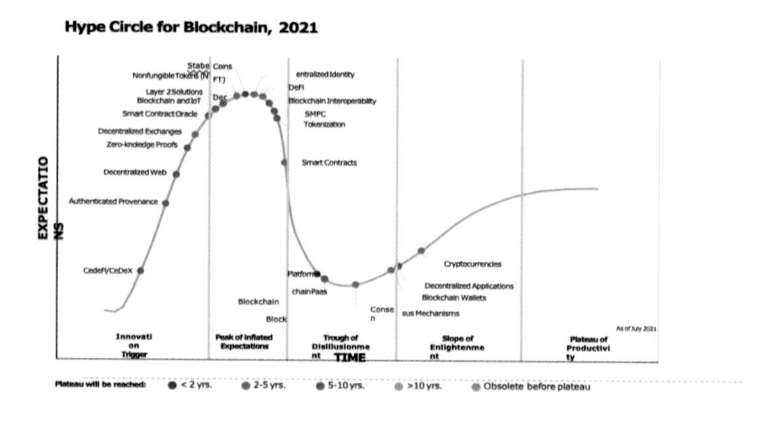

출처 : 가트너 (Gartner)

이에 대한 개념 증명과 기업들의 자사 서비스에 적합한 영역이나 신규 서비스에서 토큰화, 디지털 자산서비스와 관련된 프로젝트를 통해 Web 3.0 생태계에 진입하기 시작하면서 2022년은 블록체인 및 가상자산 산업의 최대 화두는 Web 3.0 이 부각되었다.

차세대 웹 환경을 의미하는 Web 3.0 은 블록체인 기술을 접목하여 " 탈중앙화 웹 " 이라는 의미로 프로젝트들이 증가하기 시작하면서 콘텐츠 유통, 탈중앙화 소셜 네트워크 서비스 (SNS) 등 서비스 측면에서 탈중앙화 스토리지 같은 인프라 측면에서 유의미한 시도들이 나오기 시작했다.

Web 3.0 프로젝트의 추진 사례 중에는 미러 (Mirror) 서비스는 미디엄(Medium)과 같은 블로그형 글쓰기 플랫폼에 블록체인 기술을 적용하여, 사용자에게 정당한 수익을 제공하는 서비스가 있으며, 콘텐츠를 발행한 후에 이를 NFT 화하거나 크라우드 펀딩 (Crowdfunding[1]) 을 진행하는 서비스도 존재한다.

최근 딜로이트 (Deloitte)의 보고서에서는 글로벌 기업 대상으로 진행한 설문조사 에서는 Web 3.0과 디지털 자산은 주로 디지털에 중점을 둔 부서가 주도하기 때문에 기업들은 하나의 변화가 아닌, 기술 주제로 인식하고 있으며 응답 기업 중에서 39%는 Web 3.0 을 담당하는 부서를 운영하고 있어 이 기술을 접목하는 데 관심을 가지고 있는 상황이다.

1 소셜 네트워크 서비스를 이용해 소뮤로 후원을 받거나 투자 등의 목적으로 인터넷과 같은 플랫폼을 통해 다수의 개인들로부터 자금을 모집하는 방식

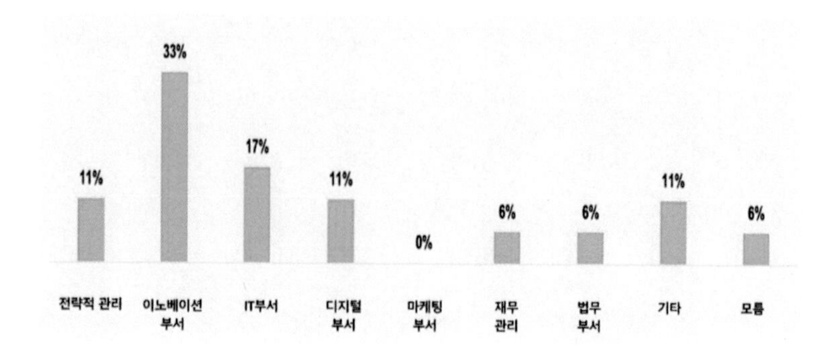

출처 : Deloitte, Web3 2023 Barometer

2023 년에는 인프라가 성숙해지면서 여러 Web 3.0 기반으로 한 소비자 기반 서비스가 나타나기 시작했으며 서비스 영역에서는 토큰화 와 피지털 (Physital[1]), 로열티 보상, 커뮤니티 및 몰입형 상거래, 데이터와 인사이트 영역으로 구분되어 카테고리화 되었다.

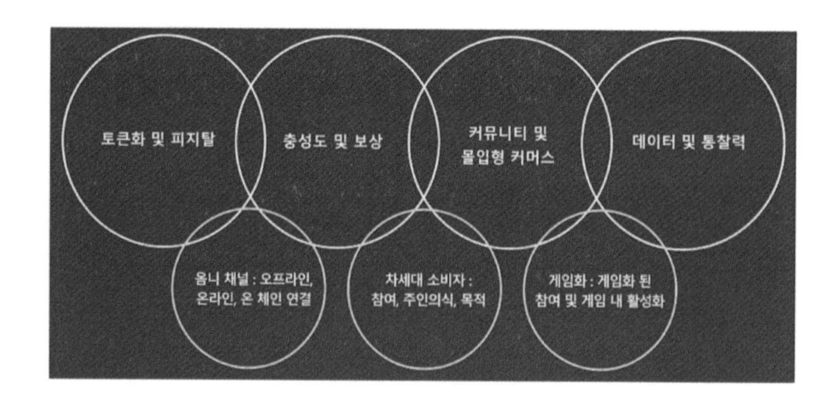

출처 : Demasterialzed.xyz

1 오프라인 공간을 의미하는 피지컬 (Physical) 과 온라인을 의미하는 디지털 (Digital)의 합성어

이 영역별로 다양한 글로벌 기업들이 각자의 환경과 서비스에 맞게 접목하기 시작했으며, 첫번째로 브랜드 커뮤니티 접근을 위한 멤버십 NFT 를 발행해서 접목하거나, 두번째로 가상 환경에서 가상 브랜드 생태계를 구축하고 이 생태계에서 활동하는 사용자들에게 로열티 보상을 지급하는 영역에 도입하거나, 단순히 디지털 컬렉션을 출시하여 고객의 로열티를 확보는 차원에서 도입하는 사례가 증가하기 시작했다.

Web 3.0 기반의 프로젝트와 사례가 증가하면서 이를 활용한 블록체인 네트워크인 이더리움 (Ethereum) 은 Web 3.0 기술 요소 중 하나인 스마트 계약을 개발하는데 개발자가 활용해야 함으로 다운로드하는 비율이 87% 증가하였다. 다른 통화, 상품이나 금융 상품에 고정되고 안정화된 암호화폐인 스테이블 코인 결제량이 50% 이상 증가하였으며 Web 3.0 게임의 활성 사용자 수도 60% 증가하면서 글로벌 토큰화 시장은 약 23% 성장하면서 Web 3.0 발전에 긍정적인 추세를 이어가고 있다.

2024 년에는 소비자 기반으로 더 풍부하고 복잡한 Web 3.0 영역이 활성화될 것으로 예상되며, 다양한 플랫폼에서 디지털과 물리적 대상을 연결하는 옴니채널 (Omnichanne[1]) 경험과 실제 제품에 디지털 제품 여권을 부착하거나 디지털 제품을 드롭하여 실제 제품으로 교환하는 방안으로 접목되고 있다.

1 모든 채널을 통합하여 오프라인 스토어, 앱 및 웹사이트 전반에서 통일되고 일관된 브랜드 경험을 제공하는 고객 중심 접근 방식

제 4 장

Web 3.0 추진 사례

Web 3.0 추진 유형 42
Web 3.0 추진 사례 - 나이키(Nike) 45
Web 3.0 추진 사례 - 스타벅스 오디세이 51
Web 3.0 추진 사례 - 구찌(Gucci) 56
Web 3.0 추진 사례 - 아디다스(Adidas) 62
Web 3.0 추진 사례 - 푸마(Puma) 66
Web 3.0 추진 사례 - 자동차 브랜드 72

제 4 장 Web 3.0 추진 사례

구글, 트위터, 코카콜라, 나이키 등 글로벌 기업들의 Web 3.0 진출 뉴스를 매일 같이 접하고 있는 상황에서 해외 기업 뿐만 아니라 국내 기업들도 Web 3.0 생태계와 영역 확장을 위해 투자를 지속하고 있다.

WEB 3.0 추진 유형

기업들의 Web 3.0 적용은 구매 후 마케팅, 실제상품을 가상상품에 연결하고 제품인증 추적, 커뮤니티 구축, 지적재산으로 수익화, 로열티 프로그램에 적용하기 시작하고 있다.

Web 3.0 추진 유형	내용	브랜드 추진 사례
구매 후 마케팅 (Post-Purchase Marketing)	NFT를 소유하면 사용자는 브랜드 제품, 콘텐츠 또는 경험에 엑세스 할 수 있음	GUCCI alo ...
피지탈 (Phygitals)	실제 제품을 소유하면 디지털 수집품이 잠금 해제되거나 잠근 처리	GUCCI ...
제품 인증 및 추적	실제 제품에 연결된 NFT 는 제품 추적성과 진품성을 보장	Dior BVLGARI ...
커뮤니티 및 공동 창작	커뮤니티, 참여 및 공동 창작을 강화하기 위해 "소유권" 인센티브를 활용	LACOSTE FIAT ...
IP로 수익화	브랜드 디자인 및 상표가 포함된 한정된 디지털 수집품 판매	Coca-Cola MUGLER ...
로열티	블록체인 기반 로열티 경제를 갖춘 로열티 프로그램	FIAT Lufthansa

출처 : Demasterialzed.xyz

첫번째로 구매 후 마케팅으로 NFT를 소유하면 사용자는 브랜드 제품, 콘텐츠, 독점적인 물리적 판매 경험과 커뮤니티를 통한 특별한 공동체 참여와 메타버스를 통한 가상 경험, 이를 통해 로열티 고객의 확보 및 보상 매커니즘 제공이 가능하다.

두번째로 실제 상품을 가상상품에 연결하는 방안으로 실제 제품을 소유하면 해당 디지털 수집품이 잠금 해제되거나 그 반대인 디지털 수집품을 소유하면, 실제 제품을 받을 수 있는 권한을 부여 받는 방식으로 사용자는 시각적이나 전자 태그 (RFID 또는 NFC)에 연결된 실제 의류에 지갑 (Wallet)을 연결하여 디지털 수집품과 연동 할 수 있다.

세번재로는 제품 인증과 추적은 두번째 방안과 유사하며, 제품을 추적하고 정품 제품에 대한 진위 여부를 보장하는데 중점을 두고 있으며 Dior B33 스니커즈[1], 불가리 (Bulgari) 의 세르펜티 인 아트 (Sepenti In Art[2]) 가죽 제품 컬렉션에 연동되는 방식이 대표적인 사례라고 볼수 있다.

네번째로는 커뮤니티 구축과 공동창조 방안으로 소유권 인센티브를 활용하여 사용자의 참여와 이벤트 활동을 통해서 유대관계를 강화하고 로열티를 활성화하는 것으로 대표적인 사례로는 나이키 (Nike)의 닷스위시 (.Swoosh)

---

1 타임리스한 테니스 슈즈를 볼륨감 있는 모던한 실루엣으로 새롭게 해석한 스니커즈로 디올하우스의 혁신적인 정신을 반영하여 각각의 제품에 암호화된 키가 장착되어 있으며 이를 통해 전용 서비스를 제공하는 안전한 개인 플랫폼에 엑세스 할 수 있다.

2 신비로운 뱀과 예술 세계와의 깊은 연결고리를 기리며, 불가리가 세명의 현대 예술가 김선우, 주리, 소피 키칭과 협업으로 탄생한 세르펜티 포에버 핸드백 캡슐 컬렉션

다섯번째로는 지적 재산으로 수익화 하는 방안으로 브랜드 디자인이나 상표가 있는 제한된 디지털 수집품을 판매하는 방식으로 기업과 소비자가 공동의 이익을 창출하는 방식이다.

마지막으로 블록체인 기반 로열티 경제를 통한 로열티 프로그램 적용 방안으로 NFT를 활용하여 로열티 프로그램에 참여 할 수 있는 권한과 다양한 활동을 통해 획득한 디지털 수집품 등급에 따라 제공되는 해택을 받는 방식이다.

기업들이 Web 3.0 에 대한 다양한 접근 방식은 특정 목표를 달성하거나 특정 대상 고객의 참여를 유도하기 위해 적용하는 경우가 대다수 이며, Web 3.0 을 적용한 대표적인 성공한 스토리와 추진 사례를 알아보도록 한다.

다양한 적용 사례 중에 대표적으로 소비자 회사의 브랜드에 접목하는 유형으로 수백 개의 소비자 회사가 2021년 말 부터 2022년 초까지 Web 3.0 흐름에 편승하여 NFT 마케팅 방식을 버리고 메타버스를 도입하거나 메타버스 업체와의 협력을 통해서 사용 사례에 대한 테스트를 진행하기 시작했다. 소비자 브랜드는 Web 3.0 기술이 기존의 중앙 집중식 시스템으로는 불가능한 새로운 가치 제안과 비즈니스 모델을 창출할 수 있는 잠재력을 보여줌으로써 다른 산업에서 참조하는 유용한 모델로 자리매김 하였다. 2023년에 대중을 참여시키기 위해 자체적인 커뮤니티를 구축하고 시장 진출 전략을 위해 다양한 방안을 적용하기 시작했다.

나이키 (Nike)

Web 3.0 을 채택한 최초이자 가장 성공적인 주요 브랜드 중 하나로 성장한 나이키(Nike)는 자체적인 기술력 부재로 인해 패션 NFT 스타트업인 알티팩트 (RTKFT) 를 2021년 12월 인수하면서 본격적인 Web 3.0 의 여정을 시작하게 되었다.

알티팩트 (RTKFT)는 브랜드 전략가 브누아 파고토 (Benoit Pagotto). 음악 업계 출신의 비주얼 아티스트 크리스 르 (Chirs Le). 크립토 네이티브 그래픽 아티스트 스티븐 바실레프 (Steven Vasilev) 3인이 설립한 디지털 NFT 제작 스튜디오로 초기에는 타 아티스트나 브랜드와의 콜라보레이션 형태로 제작한 운동화 NFT 를 민팅하는 작업에 집중하였고, 2021년 2월에는 18살의 아티스트 퓨오셔스 (Fewocious)와 협업한 NFT를 발매 후 7분만에 완판시키며 310만 달러 (약 37억원)을 벌어들여 유명세를 떨치기도 하였다.

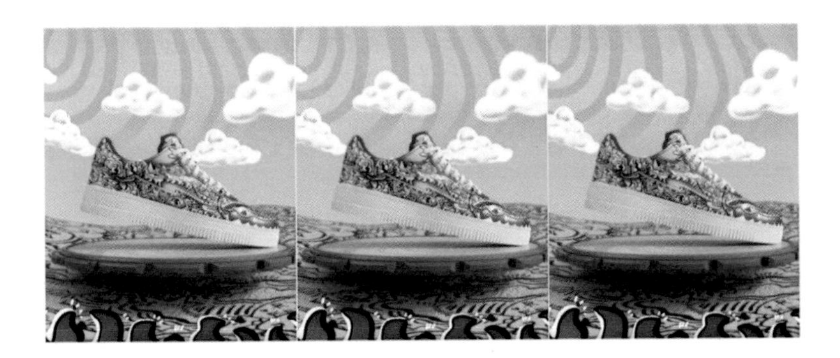

출처 : Nike, RTFKT

Web 3.0 에 진입하려면 독립적인 개발을 통한 유기적 성장이나 파트너십 그리고 인수를 통한 성장이 필요함으로 인해 디지털 운동화에 전문적인 기술력을 가지고 있는 업체를 인수함으로써 기술력을 확보하고 이를 기반으로 2022년 11월 나이키 (Nike) 는 Web 3.0 플랫폼인 닷스우시 (.Swoosh)를 런칭하면서 소비자들에게 서비스를 제공하기 시작했다.

출처 : Nike

닷스우시 (.Swoosh)는 Home for all of Nike's virtual creation 으로 정의하고 모든 사람이 Web 3.0 경험에 엑세스 할 수 있도록하여 스포츠의

범위를 넓히고 스포츠의 미래를 제공하여 이 새로운 디지털 세계의 일부를 수집, 생성하고 소유할 수 있도록 하는 것이 주요 목표를 가지고 있다.

사용자는 독점 이벤트를 참여하고 Nkie 디자이너와 가상 제품에 대해 협업하여 제품 판매로 로열티를 받을 수 있는 플랫폼으로써 공동 창작과 공동 소유권의 미래 Web 3.0 디지털 생태계가 어떤 모습일지를 엿볼 수 있는 기회를 제공한다.

닷스우시는 Nike 의 Web 3.0 활동의 허브이자 사용자 상호 작용을 위한 기본 인터페이스로 설정됨으로써 사용자가 가상 창작물에 대해 배우고, 수집하고 궁극적으로 공동 창작할 수 있는 공간을 제공하여 창작을 돕는 가상 제품에서 로열티를 받고 독점 이벤트와 제품에 접근할 수 있다.

닷스우시에 가입할 때 사용자는 .Swoosh ID로 소울 바운드 토큰 기반으로 NFT를 생성하며, 이 생성된 NFT는 특정 ID에 영구적으로 연결되어 있으며 다른 사람에게 양도하거나 판매할 수 없는 구조를 채택하고 있다.

2023년 1월에는 사용자가 공동 창작하고 창작물에 대한 보상을 받을 수 있는 기능을 제공하기 시작하면서, 로열티 사용자와 아티스트를 끌어들이기 시작하면서 2023년 4월에 OurForce 1 Collection 이라는 컬렉션을 출시하였다.

출처 : Nike

.Swoosh 를 출시하기 이전 기간 동안에는 나이키는 모 브랜드와 명시적인 관계 없이 운영되어 실험을 촉진하고 주로 Web 3.0 사용자의 틈새 그룹을 참여시키는 정도의 수준으로 유지하였지만, 수년간의 탐색과 고민 끝에 Web 3.0 이니셔티브를 모 브랜드와 핵심 고객 기반과 더 밀접하게 통합하기로 결정하면서 그 결과물이 .Swoosh Studio 와 OurFource 1 컬렉션이다.

나이키(Nike)의 여정은 소비자 대상 커뮤니티의 더 큰 추세와 소비자 브랜드 간의 문화적 브랜딩을 상징하는 것으로 소비자 브랜드의 패러다임 전환에 따라 소비자 대상의 커뮤니티를 활성화를 통해 나이키(Nike) 브랜드에 대한 상품화를 추진하였다.

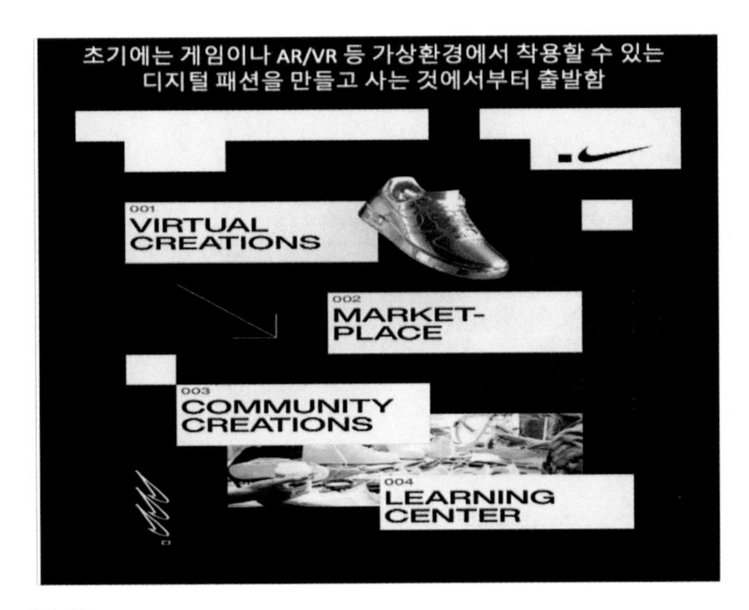

출처 : Nike

이 커뮤니티는 처음으로 커뮤니티와 문화가 접목된 형태로 디지털의 분산화된 신뢰 계층을 기반으로 구축되고 사용자가 소유할 수 있는 구조로 전환할 수 있도록 지원하면서, 나이키(Nike) 는 지금까지 1억 8,500만 달러 이상의 매출을 달성하는 성과를 거두었다.

나이키(Nike)는 RTKFT x Nike 덩크 스니커즈를 토큰 게이트 세일로 2023년 11월에 출시하였으며, 이 버추얼 스니커즈는 나이키 덩크 로우 실루엣을 바탕으로 만들어진 형태로 스크린에 사방이 둘러싸인 2052년을 상상해 디자인한 제품이다.

출처 : Nike

버추얼 스니커즈 에디션 제품군은 고스트와 보이드 두 컬러 형태로 구성되어 있다. 고스트는 블랙 컬러 어퍼와 쿼터의 네온 퍼플 컬러 스우시가 대비를 이루는 제품이며, 보이드는 화이트 톤의 어퍼 아래 각 파트의 레이아웃에 그레이 컬러 라인이 적용되어 있는 제품이다. Nike 는 개인에 최적화된 스타일링을 위해 스니커즈의 3D 파일을 제공하고 스니커즈 내부에는 근거리 무선 통신용 칩이 내장되어 있어 NFT 소유자는 NFT와 실물 스니커즈를 연결해 볼 수 있다.

Nike 는 Web 3.0 의 단계별 여정을 통해서, 새로운 청중과 커뮤니티에 다가갈수 있는 채널을 구축하였으며 충성도, 공동창작, 피지털, 버추얼 상품, 로블록스 (Roblox[1]), RTFKT, 클론엑스 (Clone X[2])를 활용하여 접근 방식을 다양화 하였다. 커뮤니티와 같은 채널을 기반으로 사용자 경험을 제공하기 위해, Nike는 Web 3.0 지갑을 활용하고 토큰 게이트 판매를 진행하면서 닷스우시 (.Swoosh) 플랫폼 기반으로 375,000 명의 회원을 보유한 규모로 성장하게 되었다.

스타벅스 오디세이 (Starbucks Odyseey)

스타벅스 오디세이는 Web 3.0 기술을 활용하여 스타벅스 리워드 (Starbucks Reawrds) 회원과 스타벅스 직원들이 디지털 수집품을 획득하고 구매할 수 있도록 하는 로열티 프로그램으로 스타벅스 오디세이 베타 버전을 2022년 12월 8일에 출시하였다.

이 프로그램은 스타벅스 브랜드와 커피를 향한 고객 여정을 설계하고 여정을 완수한 고객에게 보상을 지급하는 형태로 고객은 보상을 획득하기 위해 스타벅스와 커피에 관한 지식을 확인하는 인터랙티브 게임인 여행 (Journey)이라고 불리는 활동에 참여할 수 있다.

1 로블록스 (Roblox)는 미국 나스닥에 상장되어 있는 샌드박스 게임회사로 사용자가 게임을 프로그래밍하고 다른 사용자가 만든 게임을 즐길 수 있는 온라인 게임 플랫폼 (출처 : 위키디아)

2 클론엑스 (Clone X)는 아티팩트 (RTFKT Studios)가 진행하는 NFT 프로젝트로 크립토 펑크와 같이 이미지를 소셜미디어 프로필 사진으로 설정할 수 있는 컬렉션 (출처 : RTFKT)

출처 : Starbucks

스타벅스 오디세이 내에서 스타벅스 커피나 브랜드에 관련된 대화형 게임이나 퀴즈 등의 활동인 여행 (Journey)에 참여하며 미션을 완수한 고객은 여행 스탬프 (Journey Stamp) 라는 NFT를 지급 받게 되며, 여행 스탬프 적립에 따라 고객에 포인트가 증가하고 포인트를 통해 고객은 기존 멤버십 서비스와 차별화된 혜택을 제공한다.

스타벅스 오디세이에서 제공되는 미션을 통해서 획득하는 방식 외에 한정판 여행 스탬프는 전용 웹 애플리케이션을 통해 Nifty Gateway 마켓 플레이스에서 구매할 수 있으며, 여행 스탬프 거래 시 소유권 이전 내역은 블록체인에 기록되지만 암호화폐나 별도의 암호화폐 지갑을 보유하지 않더라도 신용카드로 결제할 수 있도록 하여 고객의 편의성을 높이는 방식을 채택하였다.

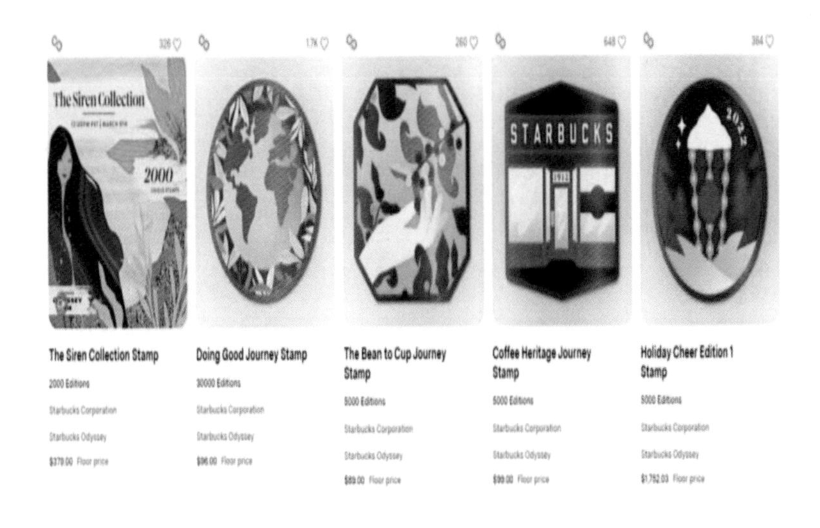

출처 : Starbucks

스타벅스 오디세이는 여행 스탬프를 적립하게 되면, 가상 에스프레소 마티니 제조 클래스 참여할 수 있고 한정 상품이나 예술가 협업 제품에 대한 접근 권항르 부여하며 커피 로스팅을 직접 진행하는 스타버그 리저브 로스터리(Starbucks Reserve Roasteries) 매장에서의 특별 이벤트에 참여할 수 있다. 이와 더불어 코스타리카의 스타벅스 하시엔다 알사시아 (Startbucks Hacienda Alsacia) 농장 견학 기회 등 고객에 다양한 혜택을 제공한다.

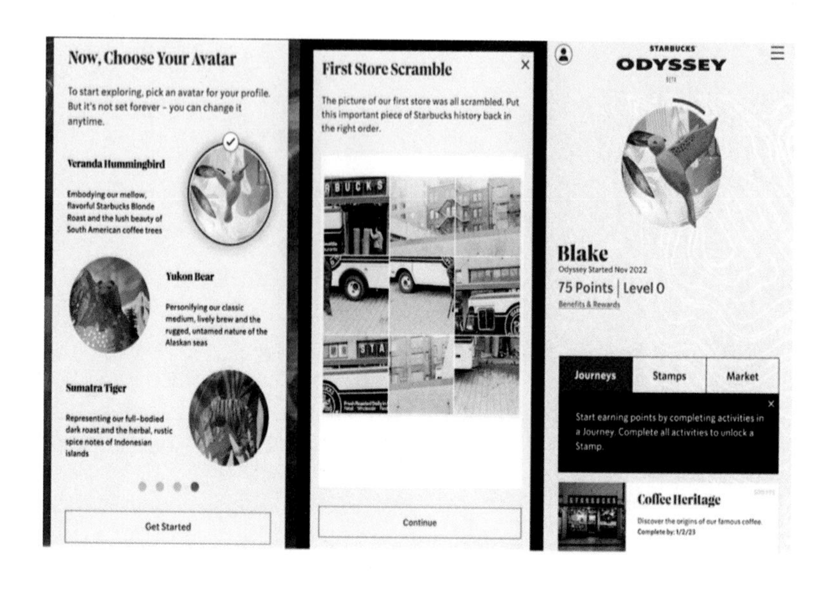

출처 : Starbucks

스타벅스는 첫 컬렉션을 시작으로 NFT 스탬프 "퍼스트 스토어 컬렉션"을 2023년 4월 19일에 총 5000개 한정판으로 발행하였으며, 이 컬렉션은 개당 100 달러에 판매를 진행하였다. 이번 NFT 시리즈가 시애틀의 파이크 플레이스 마켓에 있는 스타벅스의 첫 번째 매장에서 영감을 받은 컬렉션으로 고객이 NFT를 구매하면 1,500 포인트를 받을 수 있으며 Web 3.0 로열티 프로그램인 스타벅스 오디세이에서 보상을 사용할 수 있다.

이 컬렉션은 최소 2개의 고유한 journey Stamps 를 획득한 오디세이 회원을 대상으로 판매를 제한하였으며 "퍼스트 스토어" 스탬프를 구매한 고객들은 4월 20일 공개된 "1912 파이크 플레이스 기념"에 초점을 맞춘 아트를 볼 수 있는 권한을 제공하였다.

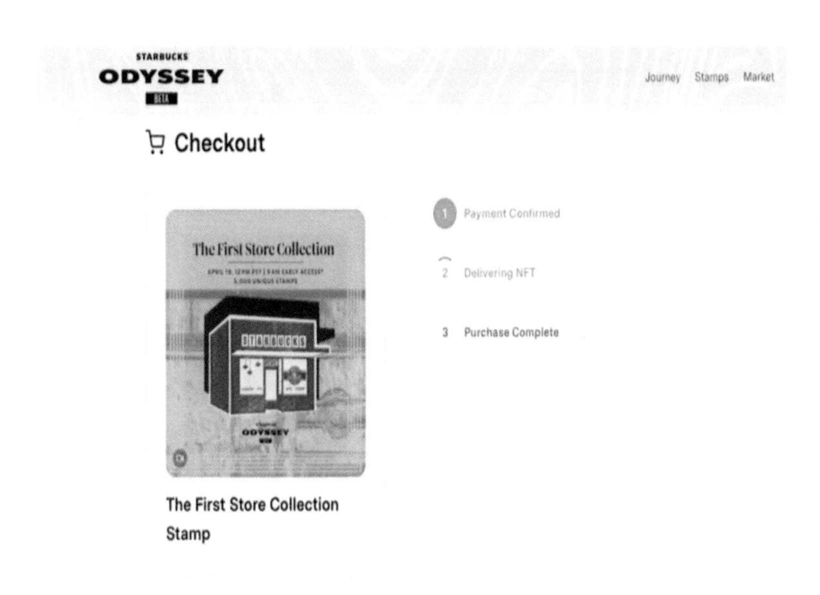

출처 : Starbucks

스타벅스 오디세이는 사용자가 게임화 된 브랜드 여정을 완료하여 스탬프를 수집할 수 있고 스탬프를 통해 보상을 잠금 해제하는 포인트를 생성하는 방식을 채택하고 있다.

스타벅스는 Web 3.0 로열티 프로그램 출시 이후로 스타벅스 오디세이 회원은 약 35,000명으로 7,500만 스타벅스 리워드 회원의 0.04% 정도의 수준이긴 하지만 2023년 첫해에 1,040,000 달러의 수익을 얻었으며 로열티 프로그램을 활성화하는 정책을 추진하고 있다.

구찌 (Gucci)

구찌 (Gucci)는 Web 3.0 에 진입한 최초의 럭셔리 패션 브랜드로서 1994년 톰포드 (Tom Ford)의 창의적인 방향에 따라 90년대 후반과 2000년대 초반의 성적 개방성을 수용하며, 새로운 세대의 관심을 사로 잡으면서 브랜드의 가치를 향상시켰으며 2000년대에는 럭셔리한 전자상거래를 개척하였다. 2010년대에는 소셜 미디어 캠페이과 인플루언서와 스트리트웨어 브랜드와의 콜라보레이션을 시작하면서 디지털 영역으로 확장하기 시작했다.

이와 같은 디지털 추진 덕분에 구찌 매출의 91%가 소비자 직접 판매 채널에서 발생하였으며, 매출의 50%는 밀레니얼 세대가 주도하게 되면서 2019년 이후에 무려 3배에 달하는 성장을 하게 되었다. 100년이 넘는 역사 동안 재창조의 기술을 터득하여 기존 틀을 유지하면서 차세대 소비자의 시대정신에 맞게 끊임없이 진화하는 브랜드를 구축하였으며 이에 발맞추어 Web 3.0 을 도입하여 고립된 브랜드 경험에서 보다 협력적이고 분산된 브랜드 경험으로 진화할 수 있는 기회를 제공할 수 있게 되었다.

출처 : Gucci

구찌 (Gucci)의 이러한 행보에 따라 NFT 공간과 더 샌드박스 (The Sandbox[3])의 메타버스에 진출하면서 디지털 영역에 새로운 혁신을 만들어 나가기 시작했다.

2021년 5월 Chrisite's 와 협력하여 첫번째 NFT는 인기가 높았던 예술영화인 아리아 (Aris) 를 기반으로 출시하면서, 다양한 NFT 컬렉션 지속적으로 발행하기 시작했다. 2022년 1월에는 애니메이션 셀럽,, 레코드판 장난감, 디지털 수집품을 제작하는 슈퍼플라스틱 (Superplastic[4]) 과 파트너십을

3 더 샌드박스 (The Sandbox)는 블록체인 기반 메타버스 플랫폼

4 슈퍼 플라스틱는 NFT 기반의 가상 셀럽 캐릭터, 바이닐 토이, 디지털 수집품을 제작하는 NFT

맺고 구찌 의상을 입은 디지털 캐릭터가 등장하는 초한정 NFT 컬렉션을 출시했다.

출처 : Gucci

2023년 4월에는 Bored Apes, Crypto Punks 등의 IP 보유자인 Yuga Labs[5] 와 파트너십을 체결하여 Yoga 의 Otherside[6] 생태계에 기반을 둔 NFT 컬렉션을 보유한 대상에게만 한정판 디지털 물리적 팬던트인 아더사이

스타트업

5 유가랩스 (Yuga Labs)는 원숭이 모양 픽셀아트 PFP로 유명한 Board Ape Yacht Club (BAYC) 으로 뮤영한 미국을 기반으로 한 블록체인 스타트업

6 다양한 NFT 프로젝트를 연결하는 메타버스 프로젝트

드 렐릭스 바이 구찌 (Otherside Relics by Gucci) 컬렉션을 출시하였다.

출처 : Gucci

메타버스 영역에서는 2022년 2월에 블록체인 기반 가상 세계인 더 샌드박스 (The Sandbox)와의 파트너십을 발표하면서 가상세계 공간에서 사용자에게 구찌의 유산에 대해 교육하는 알기 쉬운 경험인 (Gucci Valut Land)를 구축하여 2주 동안 사용자는 블록체인 기반 보상을 얻기 위한 활동을 할 수 있도록 제공하였다.

출처 : Gucci

2023년 7월에는 구찌와 10KTF[7] 는 Gucci Valut NFT 라는 배틀 타운의 10KTF 미션에 참여한 보상으로 제공한 컬렉션으로, 이 컬렉션을 보유한 2,896 명에게 토큰을 실제 한정판 구찌 지갑이나 가방으로 무료로 교환할 수 있는 독점 기회를 제공하였다.

그 외에 메타버스 업체인 로블록스 (Roblox) 에서 사용자가 구찌에 대한 지식을 배우고 다른 사람들과 연결할 수 있는 가상공간인 구찌 타운 (Gucci Town)을 출시하면서 오프라인 매장과 온라인 매장, 가상 세계 공간을 연결하는 형태로 브랜드 가치를 디지털 영역에서 확장하는 행보를 이어갔다.

7 NFT 홀더들의 NFT를 활용하여 메타버스 웨어러블 NFT를 시장에 공급하는 프로젝트

출처 : Gucci

구찌 (Gucci)는 지속적인 Web 3.0 기반의 행보로 총 NFT 수익은 타 브랜드에 비해 좋은 성과를 거두었지만, 나이키(Nike) 가 창출한 수익에는 미치지 못하였으며 대부분의 수익은 1차 판매에서 창출되었다.

구찌의 6개 컬렉션 중 단 2개인 SUPERGUCCI 와 10KTF Gucci Grail 이 상당한 판매량을 기록하였으며, 나머지는 미미한 결과를 보였다.

구찌의 Web 3.0 기반의 활성화는 기존 고객 사이에서 낮은 사회적 참여를 불러 일으켰으며 주로 인지도와 로열티 고객 확보에 집중하면서 더 높은 참여 기회를 만들지 못하면서 커뮤니티 참여에는 부족한 모습을 보였다.

나이키(Nike)와 라코스트 (Lacoste[8])와 달리 구찌는 커뮤니티 참여와 공동 창작에 뒤쳐져 있으며 Web 3.0 을 바라보는 관점은 현재의 시대 정신에 맞게 브랜드를 발전시킬 수 있는 장기적인 기회로 인식하면서, 고립된 브랜드 경험에서 협력적이고 분산된 개인화된 브랜드 경험으로 발전할 수 있는 여건을 제공하는 매개체로 인식하는 입장을 취하면서 커뮤니티 활성화의 중요성을 인지하지 못했다.

럭셔리 브랜드의 Web 3.0의 기회는 브랜드가 NFT에 대해 생각하지 않는다면 큰 기회를 놓칠 수 있으며 NFT는 소비자의 정체성 벡터가 되는 디지털 문화적 인공물 역할을 함으로써, 이를 통해 소비자는 소유라는 자기 표현의 수단이자 정체성을 경험할 수 있는 환경을 바탕으로 커뮤니티가 형성되고 공동체에서 새로운 문화가 탄생할 수 있다. 본질적으로 Web 3.0은 더 넓은 문화적 내러티브 내에서 공동 창조와 공유 가치를 촉진하고 커뮤니티 주도 브랜드의 새로운 시대를 가능하게 하는 기회를 제공한다.

아디다스 (Adidas)

아디다스 (Adidas)는 Web 3.0 개념 초기부터 메타버스에 합류하였으며 Web 3.0 여정을 위한 계획을 추진한 대표적인 소비자 브랜드이다.

8 라코스트는 1993년 테니스 선루 르네 라코스트에 의해 설립된 지갑 브랜드

BAYC (Boared Ape Yacht Club), 인플루언서인 지머니 (Gmoney)와 펑크스코믹스 (Punks Comic)과 콜라보레이션한 첫 NFT 컬렉션인 메타버스 속으로 (In the Metaverse)를 통해 메타버스에서의 여저을 2021년 12월에 시작하게 되었다.

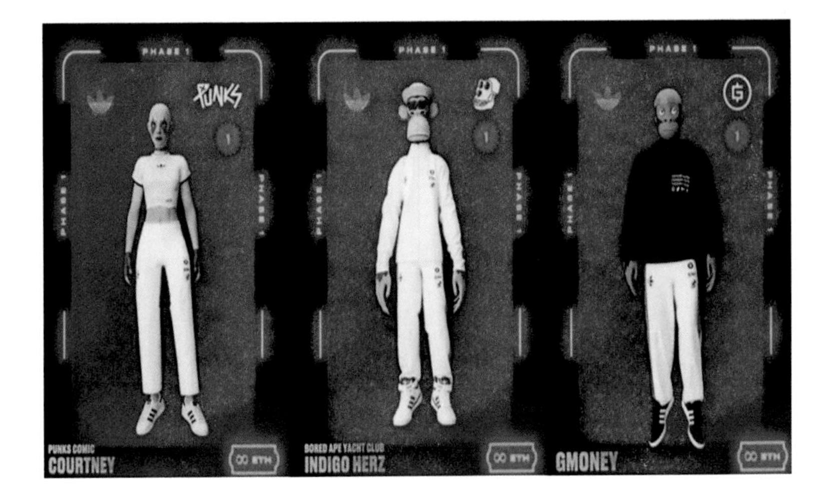

출처 : Adidas

이 컬렉션은 아디다스 오리지널스가 브랜드 최초의 NFT로 물리적 유틸리티와 기타 특전을 갖춘 30,000개로 발행되었으며 컬렉션 보유자는 GM 비니, 해시 후디, 파이어버드 트랙 수트로 구성된 실제 상품을 받을 수 있는 기회를 2022년에 제공했다.

출처 : Adidas

이와 더불어 NFT 데임 더 샌드박스 (The Sandbox) 에서 활용할 수 있는 웨어러블, 실물 제품을 실제로 받을 수 있는 기회를 제공한다.

아디다스 (Adidas) 는 2022년 3월 22일 더 샌드박스 알파 시즌 2 (The Sandbox Alpha Pass Season 2) 를 기념하기 위해 이번 증정을 준비한 것으로 메타버스 속으로 (Into the Metaverse) 컬렉션 보유자에게 더 샌드박스 알파패스 (The Sancbox Alpha Pass)를 총 200장을 추첨을 통해 증정하는 기회를 제공했다.

아디다스 (Adidas)는 메타버스 속으로 라는 목표를 기반으로 지속적으로 메타버스 업체와 협력을 통해 컬렉션을 출시하는 행보를 보이면서, 2023년 12월 7일에는 로블록스 (Roblox)와 콜라보레이션을 통해 자신의 아바타를 꾸미는데 사용할 수 있는 2024년 봄 컬렉셔을 출시했다.

출처 : Adidas

이 컬렉션은 플레이어와 팬이 창의력을 발휘하고 자신을 표현하며 사용자 경험을 향상시키는 목표로 출시되었으며 로블록스 (Roblox) 메타버스 플랫폼 상의 팝업 스토어를 통해 디지털 의류와 의상을 얻을 수 있다.

초기 출시 제품은 아디다스 오버사이즈 트레포일 크로스바디 백 (Adidas Oversize Trefoil Crorssbody Bag), 비니 헤드폰이 포함된 Block Hair, Halo 가 포함된 Trefoil Crown 등이 포함되어 있으며 로블록스 (Roblox) 메타버스 플랫폼 상에서 로블록 (Robux) 토큰으로 구매 가능하다.

출처 : Adidas

푸마 (Puma)

푸마 (Puma)는 Web 3.0 기반으로 개선된 플랫폼을 구축하여 참여도 향상을 목표로 사용자에게 탐색할 수 있는 2가지의 새로운 영역을 제공하려면서, NFT 보유자만에게 특별한 혜택을 제공하는 방식으로 여정을 시작하여 NFRNO[9], 패스트로이드, 스니커즈 등 신제품을 선보이는 3D 온라인 플랫폼 "블랙스테이션 (Black Station)"을 2022년에 런칭하였다.

9 푸마(Puma)의 신설 디자인팀인 "푸마 비전"에서 첫번째 프로젝트 타이틀

이와 같은 NFT를 구매하게 되면 실제 실물 운동화를 받을 수 있는 혜택을 제공하는 형태인데, 후속 생산과 더 긴 배송시간이 필요함에 따라 기존의 일반적인 대량 생산에서 새로운 워크플로우와 프로세스 구축이 필요함에 따라 주문형 신발 생산으로 도입하였다.

푸마 (Puma)는 창립 75주년을 맞이하여 비디오 게임에 시간을 보내고 디지털 아이템을 구매하는 소비자의 증가 추세를 활용하기 시작했으며, 새로운 세대의 쇼핑객과 소통하고 잠재적으로 수익을 증대시킬 수 있는 지속적인 기회로 인식하면서 소비자가 순수 디지털 아이템에 기꺼이 비용을 지불할 의향이 있는 세대를 대상으로 푸마 (Puma)의 가상 공간인 블랙스테이션 (Black Station)을 통해 기존 채널을 넘어 브랜드와 소통할 수 있는 새로운 공간을 제공하였다.

푸마 (Puma)는 가상제품과 경험 분야에서의 입지를 확대하기 위한 지속적으로 더 많은 이니셔티브를 준비하고 출시할 계획을 준비하면서 이런 행보에 따라 다양한 이니셔티브가 발행되었다.

2022년 6월 푸마 (Puma)는 캣블록스 (CatBlox[10])과 콜라보레이션을 통해 푸마의 유산과 문화를 기념하는 2,500개의 디지털 자산이 포함된 컬렉션을 출시하였으며, 이 컬렉션은 총 5가지 희귀 등급으로 구성된 무작위 지급 가능한 NFT 형태로 디지털 자산의 희귀 등급과 일치하는 실제 의류에

10 Nohio의 가상 메타버스를 배경으로하는 Web 3.0 엔터테인먼트 중심 커뮤니티

대해 디지털 토큰을 사용할 수 있고, 각 토큰은 푸마 (Puma)의 Web 3.0의 경험과 생태계에 접근할 수 있는 기회를 제공한다.

출처 : Puma

푸마 (Puma)는 뉴욕 패션 네트워크에서 "Futrograde"라는 런웨이 쇼를 진행하여 피지탈 스니커즈를 2022년 9월에 출시하였다. 이 피지탈 스니커즈는 Nitropass 소유자가 토큰을 소각하여 The Materializer과 Nitro 컬렉션 토큰을 받을 수 있게 되며, 머터리얼라이저(Materializer)는 블랙스테이션 (Black Station)의 첫번째 비전은 FTR이 피지탈 운동화 NFRNO와 Fastroid의 두가지 디자인을 룩북 플랫폼으로 디자인한 실제 신발을 2023년에 선보였으며, 컬렉션 소유자는 컬렉션을 활용하여 실제 신발로 교환 가능하다.

출처 : Puma

2023년 2월에 푸마 (Puma)는 Super Puma 만화의 영향을 받고 지난 75년 동안 가장 중요한 스포츠 이벤트를 다룬 PFP 컬렉션을 출시하였으며, 이 컬렉션을 보유한 보유자에게 만화책, 봉제 인형, 한정판 의류 등을 제공하고 푸마 (Puma)의 새로운 계획과 제품에 접근할 수 있는 기회를 제공하는 방식을 채택하였다. 컬렉션은 총 10,000개를 출시하엿으며 4,000개는 Nitro 컬렉션 소유자에게 에어드랍 되었고, 2,000개는 일반 판매로 제공되었으며, 컬렉션 보유자에게는 몰입형 경험과 프리미엄 제품에 대한 토큰화 된 접근을 포함하여 다양한 혜택을 부여하였다.

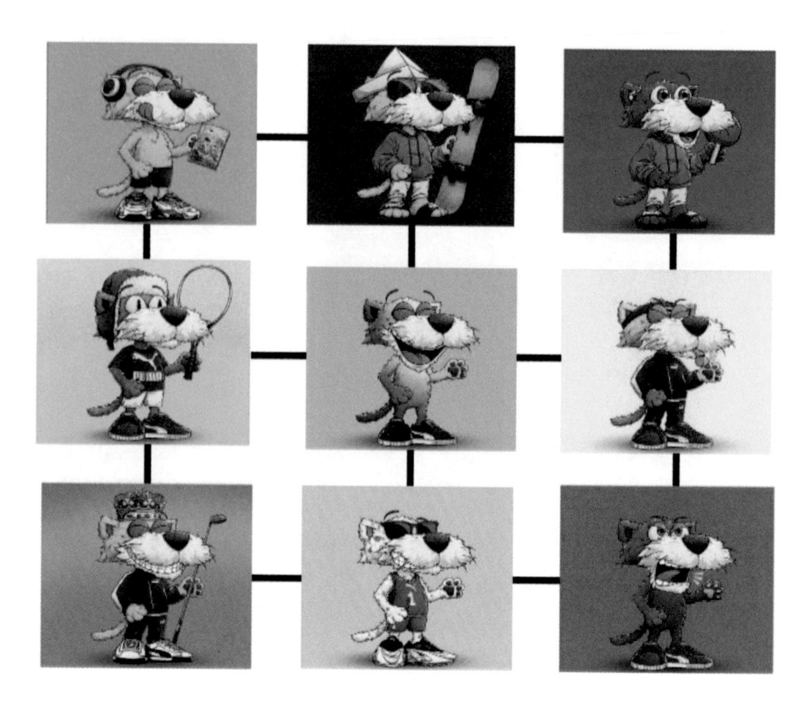

출처 : Puma

푸마 (Puma)의 단계별 컬렉션 출시와 더불어 2023년 6월에는 Web 3.0 회사인 거터 랩 (Gutter Labs)와 NBA 스타인 라멜로 볼 (LaMelo Ball[11])과 협력하여 더 거터멜로 (The GutterMelo) MB 컬렉션을 출시하였다. 이 컬렉션은 출시 한달 후에 컬렉션 보유자에게 실제 운동화를 청구할 기회를 제공하여 토큰을 소각한 후에 보유자는 교환된 운동화의 디지털 더블을 받을 수 있으며, 이와 더불어 실제 운동화를 수령할 수 있다.

11 라멜라 볼은 미국 NBA 에서 유명한 농구 선수로 포인트 가드 담당이다.

출처 : Puma

메타버스와 게임 산업을 통한 몰입형 서비스를 제공하는 유형으로 게임, 교육과 엔터테인먼트를 포함한 다양한 응용 분야에서 사용되고 있다. 가상현실, 증강현실 등 몰입형 기술의 등장으로 사용자와 실시간으로 상호 작용할 수 있는 가상의 공유 공간인 메타버스가 각광받게 되면서, 많은 기업들이 메타버스를 하나의 방안으로 활용되는 필수 항목으로 자리매김 하고 있다.

WEB 3.0 추진 사례 (자동차 브랜드)

자동차 브랜의 경우는 게임을 통해 Web 3.0과 메타버스에서 측정 가능한 비즈니스 결과를 얻을 수 있는 가장 빠른 경로로 채택하고 있으며, 게임과 e-스포츠를 통해 사용자는 자동차, 스킨, 액세서리 및 스트리밍 비디오와 같은 디지털 자산과 콘텐츠를 공동 제작하고 소유할 수 있는 기회를 제공함으로 인해서 사용자 참여와 브랜드 충성도를 높이는 동시에 자동차 브랜드를 위한 새로운 수익원을 창출할 수 있는 기회를 만들 수 있다.

현대자동차는 자동차 업계 최초로 NFT 시장에 진출하면서 메타 모빌리티 유니버스라는 개염을 통해 소비자에게 다양한 경험을 제공하기 시작했다.

현대자동차의 NFT 브랜드의 세계관은 메타 모빌리티 유니버스(Metamobility Universe)으로 디지털 기술로 시공간을 초월하고 이동과 경험의 제한 없이 소통할 수 있는 커뮤니티 활성화와 브랜드 경험을 제공하는 것이다.

NFT 시장 참여자들이 NFT에 열광하는 이유와 이들이 공유하는 문화 코드를 이해하고, 함께 사용하는 것과 같이 현대자동차의 브랜드 경험을 NFT 소유자들의 시각에 맞춰 전달하기 위해 메타콩즈 (Meta Kongz)와의 협업으로 NFT 시장과의 첫 소통을 시작하였다.

출처 : Hyundai Motor

출처 : Hyundai Motor

메타콩즈는 무자위로 생성된 1만개의 3D 고릴라 일러스트를 NFT화한 프로젝트로, NFT 오픈 시장에서 글로벌 Top 100에 오를 만큼 많은 관심과 주목을 받았으며, 이 다음으로 발행한 별똥별 NFT는 운석 조각이 아니라 무한한 에너지를 지니고 지구에 떨어진 특별한 존재로서 자신들이 탐험하고 싶은 장소에 따라 새로운 형태의 메타모빌리티로 변화한다는 의미를 가지고 출시되었다.

출처 : Hyundai Motor

대표적인 자동차 회사인 드로리안 (DeLorean[12])는 NFT IQ와 파트너십을 통해 새로운 전기 자동차인 Alpha5의 생산 슬롯을 확보하고 디지털 수집품을 위한 온라인 마켓플레이스와 연결된 세계 최초의 EV 디지털 트윈을 출시하였다.

Alpha5를 소유하는 여정은 DeLorean 거래소에서 88달러의 Alpha Club 멤버십으로 Alph a5의 생산 슬롯 NFT를 구매하는 것으로 디지털 트윈의 NFT를 보유한 보유자는 향후 몇 년 동안 생산될 제한된 수량의 Alpha5 EV에서 고유한 생산 슬롯을 확보할 수 있다.

12 드로리란 (Delorean Motor Company)는 제너럴모터스 (GM)의 엔지니어 출신 존 도로리안 (John Delorean)이 설립한 미국의 자동차 제조회사

드로리안 거래소에서 Alpha5 생산 슬롯에 대한 NFT를 구매하거나 거래 가능하며, Alpha5 가 만들어지기 6개월 전에 소유자는 이를 사용자 정의하고 실제 VIN에 연결된 새로운 디지털 트윈을 얻을 수 있는 구조이다.

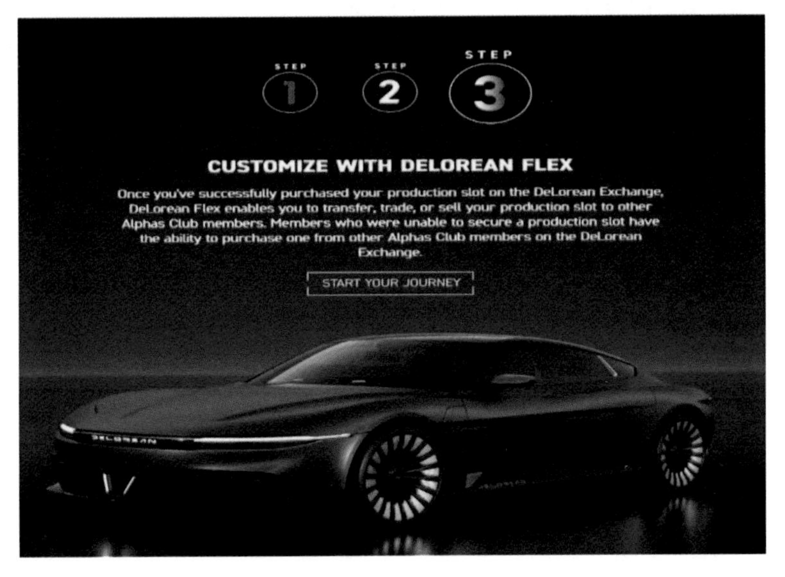

출처 : Delorean

그란 투리스모 (Gran Turismo) 7 Manufactures Cup 은 플레이어가 좋아하는 자동차 브랜드를 놓고 전 세계의 다른 플레이어와 경쟁 할 수 있는 온라인 챔피언십이다. 그란 투리스모 7 은 폴리포니 디지털이 제작하고 소니 인터랙티브 엔터테인먼트가 배급하는 레이싱 게임으로 그란 투리스모 메인 시리즈 중 8번째 게임이다.

각 시즌 마다 라운드와 트랙이 다르며, 플레이어는 권위 있는 이벤트인 그란 투리스모 월드 시리즈에 진출 할 수 있다.

스포트에서 하루 일정기를 주행하면 데일리 워크아웃으로 주던 상품을 데일리 티켓으로 상품화하여 1성 부터 6성 까지 티켓 등급에 따라 크레딧, 차량, 부품, 제조사 초대장 등이 제공되며, 매뉴 팩처러 컵은 자동차 브랜드가 제품을 홍보하고 팬과 교류하며 플레이어가 현실적이고 흥미진진한 레이싱 경험을 즐길 수 있는 좋은 마케팅 사례이다.

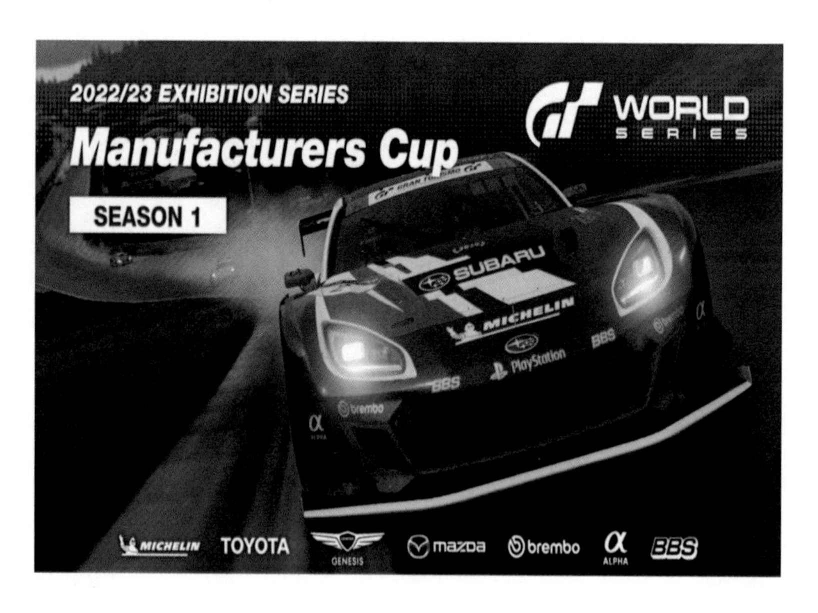

출처 : Gran Turismo 7 Maufactures Cup

이탈리아 자동차 회사인 알파 로메오 (Alfa Romeo)는 NFT 디지털 인증서가 장착된 새로운 소형 스포츠 유틸리티 차량 (EV)인 토날레 (Tonale)를 공개했다.

알파 로메오 NFT 프로젝트는 차량 소유와 유지 관리의 효율성과 생산성을 높이는 것을 목표로 하는 혁신적인 이니셔티브로 블록체인 기술을 사용하여 디지털 각 토날레 SUV에 대한 인증서와 차량의 데이터 및 서비스 내역을 기록하게 된다.

차량의 전체 수명주기를 추적하는 자체 제작한 NFT를 토날레 차량마다 연결하고, 각 차량마다 연결된 NFT는 차량 구매 인증을 한 후에 해당 차량의 전체 수명 기간 동안 관련 데이터를 기록하고 보관하게 된다.

차량에 장착된 인증서는 차량의 상태를 확인하고 재판매 가치를 높이는데 사용할 수 있으며, NFT 소유자는 차량과 관련된 독점 디지털 콘텐츠에 엑세스 할 수 있는 권한을 부여하여 새로운 고객 경험을 제공한다.

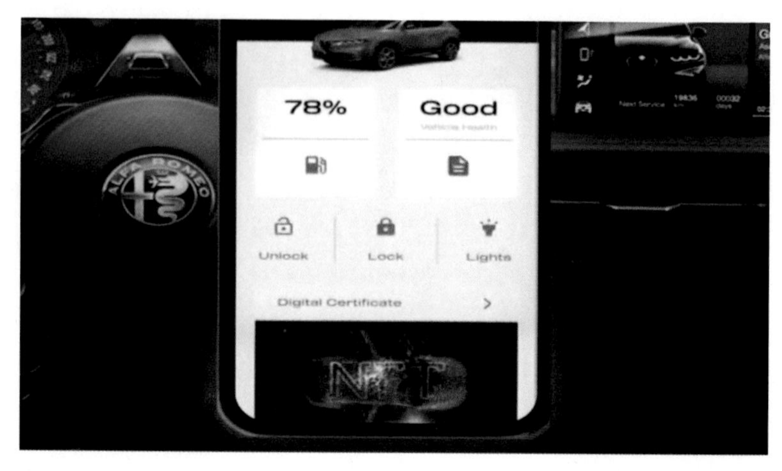

출처 : Alfa Romeo Tonale

피아트 (Fiat)는 1899년 이탈리아 토리노를 기반으로 설립된 자동차 회사로 충성도가 높은 고객과의 유대를 강화한 스타벅스의 오디세이 프로그램과 마찬가지로 가장 충성도가 높은 팬과의 관계를 심화하는 목표로, 고객 참여 이니셔티브를 통해 Web 3.0에 진출하였다.

피아트 (Fiat)는 점점 발전하는 기술에 정통한 청중을 끌어들이기 위한 새로운 방법을 모색하면서, Web 3.0 기반 로열티 경험에 대한 입장권 역할을 제공하기 위한 피아트 패스 (Fiat Pass) 를 출시하였다. 피아트 패스 (Fiat Pass) 는 개방형 버전으로 출시하여 사용자가 무제한으로 발행할 수 있도록 제공하는 방식을 채택하면서 55,000 명 이상의 신규 고객과 기존 고객을 유치할 수 있었다.

출처 : FIAT

피아트 (Fiat)는 역동적인 소울 바운드 형태의 NFT인 피아트 패스 (Fiat Pass)를 출시하면서 Fiat 생태계에 참여할 수 있는 입장권 역할을 제공하고, Fiat 생태계에 참여하게 되면 피아트 패스 (Fiat Pass) 가 업데이트되어 다양한 혜택을 제공 받게 된다. 제공되는 다양한 혜택에는 글로벌 카셰어링 및 렌탈 플랫폼 프리투무브 (Free2Move[13]) 에서 무임 승차, 모빌리티 가입 할인, 차량 우선 예약 (170 개국, 45만대 렌터가) 등과 같은 혜택을 받을 수 있다.

13 프리투무브 (Free2Move)는 글로벌 모빌리티 브랜드로 170개국에서 차량을 검색하고 예약할 수 있는 카셰어링 서비스 및 렌터카 앱

출처 : FIAT

피아트 패스 (Fiat Pass)는 자동차와 연결된 물리적 혜택과 구매자가 디지털 경험을 통해 브랜드의 일부를 소유할 수 있도록 기회를 제공하는 역할을 한다. 피아트 패스 (Fiat Pass)를 통해 Fiat의 고객 관리 CRM을 강화하면서 사용자는 Web 3.0 지갑과 이메일 주소, 우편번호를 민트에 제공하고 수만명의 회원으로 구성된 참여도가 높은 글로벌 커뮤니티를 디스코드 (Discord[14])를 활용하여 구축하고 출시하는 신차 모델에 대한 공동제작 캠페인을 실행하였다.

14 디스코드 (Discord) 게이밍부터, 교육과 비즈니스 영역의 커뮤니티 생성을 목적으로 설계된 VoIP 응용 소프트웨어 (출처 : 위키피디아)

출처 : Alfa Romeo Tonale

자동차 산업 외에 결제 영역에서 보다 안전하고 효율적인 결제 처리를 위해 Web 3.0을 채택하기 시작하면서, 분산형 금융 플랫폼과 스테이블 코인을 사용하고, 블록체인 기술을 활용하여 기존 지불 시스템에 통합하는 방식으로 진행되고 있다.

코인베이스(Coinbase[15]), 블록파이(BlockFi[16]), 비트페이(BitPay[17]), 페이서클(PayCircle[18]) 등과 같은 결제회사는 Web 3.0 기술을 사용하여 중앙 중개자에 의존하지 않는 분산형 결제 시스템을 구축하고 있으며, 이를 통해

15 코인베이스 (Coinbase)는 2011년 7월 2일 개장한 미국의 암호화폐 거래소

16 볼록파이 (BlockFi)는 2017년 설립된 암호화폐 대출 플랫폼

17 비트페이 (BitPay)는 비트코인과 기타 암호화폐를 전문으로 하는 결제 서비스 제공 업체

18 페이써클 (PayCircle)은 독일 지멘스가 중심이 되어 미국의 HP,Sun, Oracle, 루스튼 등과 출자하여 설립한 모바일 커머스의 빌링 표준화를 위한 비영리 기관

거래 비용을 줄이고 보안을 강화하며, 결제 속도와 효율성을 높일 수 있을 뿐 만 아니라 암호화폐를 결제 수단으로 사용하고 분산형 금융 애플리케이션을 접목하고 있다.

소셜미디어 영역에서는 블록체인 기술을 사용하여 분산된 콘텐츠 공유와 커뮤니티케이션을 가능하게 하는 분산형 소셜 미디어 플랫폼이 기존의 중앙 집중식 소셜 미디어 플랫폼의 대안으로 인기를 얻고 있다.

분산형 소셜 미디어 플랫폼은 데이터 프라이버시와 검열 저항에 대한 더 큰 제어 기능을 제공할 수 있어 스팀잇(Steemit[19]), 마인즈(Minds[20]), 마스토돈(Mastodon)[21] 등과 같은 여러 소셜 미디어 플랫폼은 블록체인 기반 보상 시스템을 사용하여, 사용자가 콘텐츠를 만들고 공유하도록 장려하고 있으며 사용자는 자신의 기여도에 따라 토큰을 얻을 수 있으며, 프리미엄 기능에 엑세스 하거나 암호화폐 거래소에서 토큰을 거래하는데 사용할 수 있다.

Web 3.0 을 기반으로 다양한 산업에서 자신들의 서비스에 맞게 적용하고 있으며, 브랜드의 가치를 증대 시키면서 고객을 확보하고 고객에게 새로운 경험을 제공하는 차원에서 점차적으로 추진 사례가 늘어나고 있다.

---

19 스팀잇 (Steemit)은 콘텐츠 제작자와 큐레이터에게 기여에 대한 암호화폐 토큰(Steem)을 보상하는 블록체인 기반 소셜 미디어 플랫폼

20 마인즈 (Minds)는 오픈소스 소셜 네트워크

21 마스토돈 (Mastodon)은 탈중앙화 소셜 미디어 서비스

제 5 장

Web 3.0 구성 요소

Web 3.0 구성 요소 86
Web 3.0 핵심 구성 요소 88
Web 3.0 주요 기술 89
Web 3.0 구축을 위한 필요 요소 91
Web 3.0 기반 구축 가능한 플랫폼 93
Web 3.0 구축을 위한 필요 요소 94

제 5 장 Web 3.0 구성 요소

지금까지 Web 3.0 개념과 동향, 기업들의 Web 3.0 추진사례를 알아보았다면, Web 3.0을 구성하고 있는 각각의 요소들이 무엇인지, 어떤 역할을 하는지를 이해하고 연관 관계를 나열해 보도록 한다.

Web 3.0은 비트코인이 디지털 가치 저장소를 변화시키고 이더리움이 스마트 계약으로 자동화를 가능하게 하며, 메타마스크(Metamask)와 같은 디지털 지갑을 사용하여 Web 3.0 이나 암호화폐에 엑세스 하는 방식을 바꾸면서 변화 가능성을 제시하였다.

Web 3.0은 새로운 사용 사례를 통해 더욱 소유하기 쉽고, 몰입도가 높으며 개인화된 인터넷이 만들어지도록 도와주는 역할을 한다.

Web 3.0의 가장 중요한 기능은 분산화를 의미하며, 혁신을 강화하기 위해 다양한 기술을 활용하는 구조로 구성되어 있다. AI, 자연어 처리 등의 기술을 활용하여 보다 직관적인 인터넷 생태계를 구축하고 다양한 애플리케이션과 플랫폼에서 데이터 공유와 접근성을 보장하는 연결된 웹을 개발하는 것을 목표로 하고 있다.

Web 3.0의 분산화는 사용자 요구사항과 시장상황에 대한 대응력을 향상시키는 동시에 책임성과 자율성을 향상시킬 수 있으며, 웹에서 사용자 상호 작용과 기본 의도와 컨텍스트를 밝혀 개인화된 사용자 경험을 개발하는데 중점을 두고 있다.

Web 3.0의 가치는 새로운 수요에 적응할 수 있는 생태계를 구축하는데 도움이 될 수 있으며, 애플리케이션과 웹사이트는 기계 학습, 분산원장 기술, 빅데이터 등과 같은 기술을 사용하여 스마트하고 인간과 유사한 방식으로 데이터를 처리할 수 있는 능력을 보유하는 것이다.

이러한 기술적인 부분 외에도 비기술적 역할도 Web 3.0에서 중요한 부분이며 블록체인, 암호화폐, 스마트 계약, NFT에 대한 이해와 기술을 이용해 개발에 직접 참여하지 않는 대상에게도 가치가 있다.

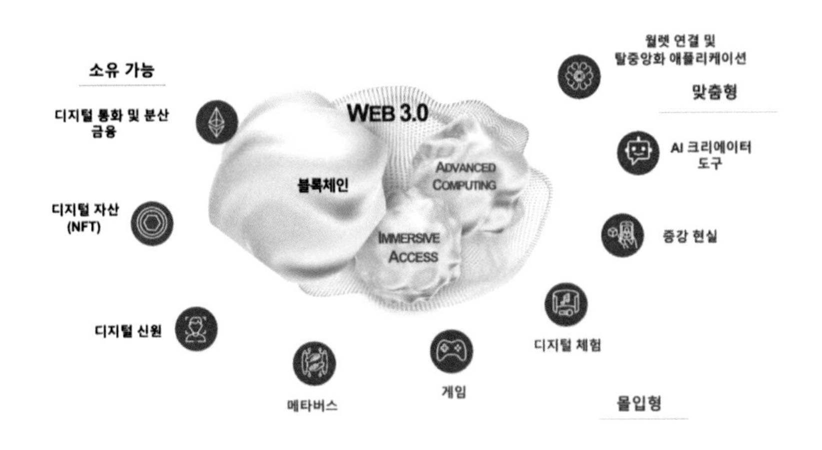

출처 : Deciphering Web 3.0

WEB 3.0 핵심 구성 요소

Web 3.0 생태계를 구축하는데 필요한 핵심 구성요소는 대표적으로 총 4가지 항목으로 구성된다.

1. 첫번째로 블록체인 기술이다. 블록체인은 Web 3.0 생태계에 힘을 실어주는 핵심 구성 요소로 데이터 저장과 교환을 돕는 순환형 네트워크를 통해 새로운 데이터 구조를 제공하므로, 블록체인 분산원장 형태로 중앙집중식 개체의 개입에 대해 걱정할 필요가 없으며, 개발, 배포, 거래를 위한 안전한 생태계를 조성하는데 도움이 된다.

2. 두뻰재로 스마트 계약으로, Web 3.0 생태계를 구성하는 앱을 구축할 수 있는 스마트 계약의 프로그래밍 기능을 사용할 수 있으며, 미리 결정된 조건이 충족되면 디지털 거래를 실행하는 자체 실행 컴퓨터 프로그램으로 작동하는 방식으로 Web 3.0 환경을 강화하는 혁신적인 분산형 애플리케이션을 만들 수 있는 기회를 제공한다.

3. 세번째로 분산형 애플리케이션으로, Web 3.0는 중개자가 필요하지 않는 새로운 인터넷 모델을 개발하기 위해 대화형 경험과 분산화의 조합을 제공할 수 있으며, 분산형 앱 구매나 판매 그리고 사용자가 NFT를 암호화폐로 거래하고 분산형 금융 (DeFi)에 대한 엑세스를 제공하는데 도움울 준다.

4. 네번째로 상호 운용성으로, 생태계의 구성 요소에는 분산형 Web 3.0의 상호 운용성이 포함되어 있어 사용자가 다양한 플랫폼에서 디지털 자산을 통신하고 사용할 수 있으며, 사용자는 데이터가 회사의 중앙 집중식 제어 하에 있는 Web 2.0 도메인에서 자신의 데이터를 완벽하게 제어할 수 있다.

Web 3.0은 단순한 블록체인과 우리가 이야기하는 모든 탈중앙화 구조가 아니며, 블록체인은 중추 역할을 수행하는 것으로 모든 기술 스택은 본질적으로 하나 이상의 기술로 구현되는 형태로 구성되어 있다.

WEB 3.0 주요 기술

Web 3.0의 주요 기술은 총 8가지로 구분할 수 있다.

1. 블록체인과 암호화폐 (Blockchain and Cryptocurrencies)로 블록체인은 분산원장 기술로서 데이터의 투명성과 무결성을 보장하며, 암호화폐는 블록 체인 위에서 작동하는 디지털 화폐이다.

2. 스마트 계약 (Smart Contracts)이며, 자동으로 실행되는 스마트 계약으로 특정 조건이 충족되면 자동으로 실행되는 구조이다.

3. 분산 앱 (Dapp)으로 중앙서버 없이 블록체인 상에서 직접 실행되는 애플리케이션이다.

4. 분산 신원증명 (Decentralized Identifiers, DID)이며, 사용자나 기기의 식별자를 중앙화된 서비스 없이 관리할 수 있다.

5. 온톨로지와 시멘틱웹 (Ontologies and Semantic Web)으로, 데이터의 의미를 표현하고 검색하는 방법으로 기계가 데이터의 의미를 이해하고 처리할 수 있다.

6. 인공지능과 머신러닝 (Artificial Intelligence and Machine Learning)으로 웹 데이터를 분석하고 패턴을 찾는데 사용한다.

7. 3D 그패릭스이며, 가상현실(VR)과 증강현실(AR) 같은 기술이 Web 3.0에서 중요한 역할을 한다.

8. 개인 정보보호 (Privacy and Data Sovereignty)으로 사용자의 데이터 소유권과 프라이버시 보호가 중요한 부분이다.

9. 토큰 경제와 거버넌스 (Token Economics and Governance)이며, 토큰을 기반으로 하는 경제체계와 그에 따른 거버넌스 모델이다. 이와 같은 기술을 기반으로 Web 3.0 구현을 위한 필수 구성 요소로는 대체 불가토큰(NFT),

분산형 금융(Defi), 탈중앙화 자율조직(DAO)로 구성되어 있다.

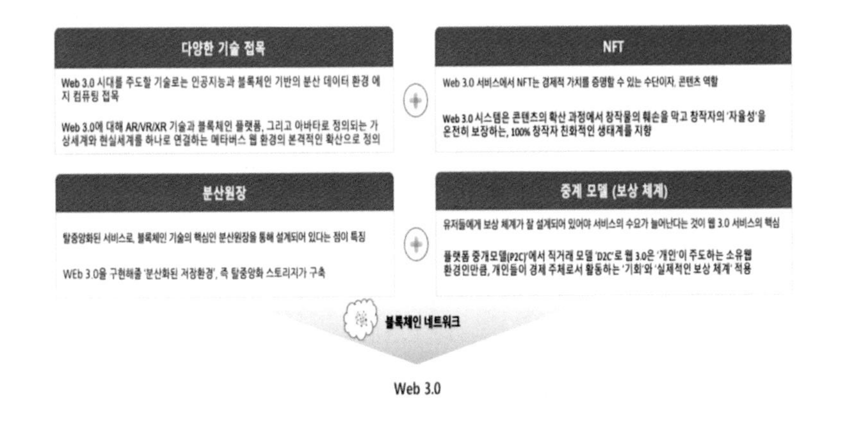

WEB 3.0 구축을 위한 필요 요소

Web 3.0 환경을 구축하기 위해서는 구축에 필요한 요소로 총 9 가지로 정의할 수 있다.

스마트 계약 개발 : 이더리움(Ethereum)에서 사용되는 솔리디티(Solidity)와 같은 스마트 계약 언어에 대한 전문 지식과 보안 모범사례와 잠재적인 악용을 이해하는 것은 이러한 계약의 재정적 영향으로 인해 매우 중요하다.

풀스택(Full Stack) 개발 : 백엔드와 프론트 앤드, 개발 기술은 블록체인 기술과 상호 작용하는 포괄적인 웹 애플리케이션을 만드는데 중요하다.

UX 디자인 : 분산 애플리케이션(Dapp)을 위한 직관적이고 사용자 친화적인 인터페이스를 디자인하는 능력은 성공과 채택에 필수적이다.

분산형 금융(DeFi)와 분석가 : 분산형 금융(DeFi) 원칙에 대한 깊은 이해와 공간 내에서 수익성 있는 결정을 분석하고 내릴 수 있는 능력이다.

커뮤니티 구축 : 디스코드(Discord)나 텔레그램(Telegram)과 같은 온라인 커뮤니티를 관리하고 성장시켜, Web 3.0내의 프로젝트와 이니셔티브를 지원하는 기술이다.

마케팅 : 대상 고객 및 참여를 위한 효과적인 채널에 대한 이해를 포함하여 Web 3.0 프로젝트의 고유한 측면에 맞춰진 디지털 마케팅 전문 지식이다.

데이터 과학 : 암호화와 Web 3.0 애플리케이션에서 생성된 방대한 양의 데이터를 추출, 구문 분석과 해석에 사용하여 의사결정과 혁신을 추진하는 능력이다.

법률 및 규정 준수 : 다양한 관할 구역의 암호화폐, 토큰, NFT를 둘러싼 법률 및 규제 환경에 대한 지식이다.

암호화 및 보안 : 암호화의 탄탄한 기반과 무단 엑세스나 악용으로 부터 보호하기 위해 높은 보안 표준을 유지하려는 노력이 필요하다.

Web 3.0 인프라

Blockchains

개방적이고 상호 연결된 커뮤니티 소유 데이터베이스 및 컴퓨팅 플랫폼

Smart contracts

분산형 컴퓨팅 플랫폼에서 소프트웨어의 자동화 및 실행을 가능하게 하는 프로그램

Digital currencies

디지털 생태계 내에서 기본적으로 가치를 이전하는 수단

Nonfungible tokens

디지털 자산의 고유 식별을 보장하는 블록체인 기반 토큰화 기록

Web 3.0 인프라의 응용

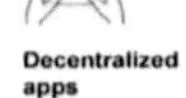

Decentralized apps

금융, 소셜 및 기타 활동을 가능하게 하는 개방형 네트워크에 구축된 애플리케이션

(Open) digital wallets

사용자의 신원, 계정/가치 및 액세스 측면을 결합한 온라인 여권

Decentralized autonomous organizations

공유 어카운트를 갖춘 회원 소유 커뮤니티

Decentralized finance

블록체인의 스마트 컨트랙트를 사용하여 전적으로 코드로 실행되는 금융 플랫폼

Tokenization of real-world assets

재산, 금, 예술품 등 모든 자산의 디지털화

Open metaverse

사용자가 활동하고 상호작용하고 탐색할 수 있는 디지털 공간

출처 : Bain & Company : Andressen Horowitz

Web 3.0은 수많은 아이디어로 가득 차 있으며, 현재의 디지털 플랫폼은 데이터 유출에 노출되어 있어 개인정보 보호에 중점을 두지 않는다. 사용자가 이러한 위험에서 벗어나기 위해 Web 3.0 플랫폼을 필요로 하고 있다.

WEB 3.0 기반 구축 가능한 플랫폼

Web 3.0 기술 요소와 구축 요소를 기반으로 구축 가능한 플랫폼은 첫번째로, 암호화폐 거래소 (Crypto Exchange)로 Web 3.0 생태계에서 가장 많이 사용되는 플랫폼으로 그 사용량이 날로 증가하고 있으며, 암호화폐 거래소 플랫폼 출시를 통해서 많은 수익을 얻을 수 있으며, 암호화폐 거래소 플랫폼 출시를 통해서 많은 수익을 얻을 수 있다.

두번째로 Web 3.0 전자 상거래의 시장으로 디지털에서 실제 작업에 이르기까지 전체 시스템이 Web 3.0 기반으로 구축되는 것이다.

세번째로 지갑(Wallet)은 Web 3.0 생태계에 입문하는 사람이 가장 먼저 선택해야 하는 사항으로 지갑을 출시해도 Web 3.0 생태계내에서 비즈니스에 문제가 되지 않는다.

네번째로 Web 3.0 게임으로 사용자가 게임 내 자산을 소유할 수 있고 사용자의 기타 모든 정보가 보호되는 새로운 게임 경험을 게이머에게 제공할 수 있다.

마지막으로 Web 3.0 소셜 미디어로 표현의 자유가 있는 보다 안전한 플랫폼으로 소셜 미디어 라이프 스타일을 재설계하고 사용자는 자신의 콘텐츠를 소유하게 되어, 이는 제작자의 수익 창출에도 도움이 되는 플랫폼이다.

WEB 3.0 구축을 위한 필요 요소

Web 3.0을 도입하기 전에는 기존 기술과 기술 스택에 대한 철저한 평가를 수행해야 하며, 블록체인 기반 솔루션을 구현하기 위한 타당성과 준비성에 대한 현실적인 평가를 보장해야 한다.

이와 더불어 Web 3.0 사용 사례와 효과를 극대화하기 위한 블록체인 개발에 정통한 사내 팀을 보유하거나 전문 서비스를 제공하는 다른 비즈니스와 협력할 수 있는 유연성을 보유해야 한다.

성공적인 Web 3.0 도입이나 추진을 위해서 사전 검토해야 하는 평가 요소는 기술평가, 전략적 정렬, 상호 운용성, 협업 기회, 규정 준수, 사용자 교육, 확장성으로 구성되어 있다.

기술 평가는 블록체인 기술에 대한 팀의 숙련도를 식별하고 향상시키며, 필요한 경우 기술을 향상시키거나 전문가를 고용하여 견고한 기반을 확보하는 것이다.

전략적 장려로 블록체인 채택을 비즈니스 전략에 맞추어야 하며, 사용 사례를 명확하게 정의하고 블록체인 운영과 고객 경험에 실질적인 가치를 제공할 수 있는 방법을 준비해야 한다.

상호 운용성은 기존 시스템과 호환성을 보장하는 것으로 현재 기술 스택과의 원활한 통합은 안정적인 운영과 서비스 중단 최소화에 필수적이다.

협업기회는 블록체인 중심 기업과의 파트너십을 탐색하는 것으로 협업이나 아웃소싱을 통해서 전문지식을 활용하여 구현을 가속화하고 학습 곡선을 줄일 수 있다.

규정 준수는 진화하는 평가 규정을 파악하는 것으로 블록체인의 역동적인 특성을 감안할 때, 규제 프레임워크를 이해하고 준수하는 것은 장기적인 성공을 위해 가장 중요하다.

사용자 교육은 내부와 외부의 이해를 촉진하는 것으로 블록체인 채택에는 종종 사고방식의 전환이 필요함에 따라, 팀과 이해관계자를 교육하여, 보다 원활한 전환을 촉진해야 한다.

확장성은 처음부터 확장성을 계획해야 하며, 미래의 성장을 예측하고 선택한 블록체인 솔루션이 기업의 진화하는 요구 사항에 따라 원활하게 확장될 수 있도록 해야 한다.

Web 3.0은 탈중앙화와 사용자 중심 원칙을 도입하고 엔터프라이즈 모델을 통합하기 위해 기술을 넘어 새로운 패러다임의 변화에 따라, Web 3.0의 필수 구성 요소 항목을 기반으로 서비스와 목적에 맞는 기술 요소와 구현 요소를 잘 조합하여 Web 3.0 기반의 프로젝트나 서비스를 진행해야 한다.

제 6 장

Web 3.0 인프라

Web 3.0 인프라 100
Web 3.0 인프라 핵심 구성 요소 103

제 6 장 Web 3.0 인프라

Web 3.0 구성 요소 중, 첫번째로 인프라에 대해 이야기를 해보고자 한다.

최근 몇 년 동안 블록체인 업계에서는 환경 친화적인 솔루션에 대한 중요성이 점점 더 커지고 있으며, 그린 블록체인은 기존의 에너지 집약적 블록체인에 대한 효율성인 대안 으로 떠오르고 있다. 블록체인 거래 과정에서 에너지 효율적인 방법을 사용하는 것을 의미하는 것으로 높은 에너지 소비로 인해 비판을 받아온 기존 블로겣인과 관련된 탄소 배출량을 줄이는 것을 목표로 하는 것이다.

전통적인 블록체인은 작업 증명 (Proof of Work, PoW) 합의 메커니즘에 의존한는 구조로 인해 거래를 검증하기 위해서는 많은 계산 능력을 필요로 한다. 이 과정에는 복잡한 수학 방정식을 푸는 과정이 포함되어 엄청난 양의 에너지가 소비된다.

이 에너지의 대부분은 화석 연료에 크게 의존하고 있으며 채굴이나 거래 검증에 소비됨으로 인해, 블록체인 기술은 환경에 부정적인 영향을 미친다는 비판을 받고 있으며 친환경 솔루션 도입이 시급해지는 상황에 직면하게 되었다.

이러한 문제는 Web 3.0 도입에서도 문제가 될 수 있는 사항으로 인프라를 친환경적인 그린 블록체인이 구성하는 것이 필수 사항이 되고 있다.

그린 블록체인은 기존 블록체인의 환경 문제에 대한 솔루션을 제공하며, 지분 증명(Proof of Stake, PoS)이나 많은 양의 계산 능력이 필요하지 않는 에너지 효율적인 합의 매커니즘을 사용하는 것으로, 거래를 검증하는데 더 적은 리소스를 사용 함으로써 보안을 손상시키지 않으면서 에너지 소비와 탄소 배출량을 크게 줄일 수 있다.

그린 블록체인을 채택하면 블록체인 기술에 대한 대중의 수용이 더 커질 수 있으며, 전통적인 블로체인 환경에 미치는 부정적인 영향은 대중의 관심과 수용에 큰 장벽의 한계를 해결 할 수 있으며, 신뢰와 확신을 높이는데 도움이 될 수 있다.

그린 블록체인의 개발로 인해 전세계 기업이나 대중들이 더 쉽게 접근할 수 있는 환경을 제공함으로써, 기어들의 인프라 도입 시 적용하는 사례가 높아지고 있다.

이러한 요구되는 환경의 변화에 따라 Web 3.0 인프라 제공업체는 재생 가능한 에너지원 사용과 같은 블록체인용 친환경 솔루션을 제공하며, 이는 인프라 공급자에게 저렴하거나 무료로 지속 가능한 전력을 녹색 에너지 공급자와 협력하여 그린 블록체인 플랫폼을 구축 가능하다.

인프라 제공업체는 개발자나 블록체인에서 분산형 애플리케이션을 구축하고 배포할 수 있는 인프라와 도구를 제공하고, 이러한 플랫폼을 통해 개발자는 블록체인의 높은 에너지 소비에 대한 걱정 없이 분산형 애플리케이션을 배포할 수 있다.

비용이 거의 없거나 무료로 친환경 플랫폼을 제공하는 Web 3.0 인프라 제공업체의 도움으로 친환경 블록체인의 채택이 더욱 널리 퍼질 가능성이 높으며, 기업과 조직이 친환경 블록체인 솔루션을 채택할 수 있도록 하는 비용 효율적인 장점을 제공하면서 도입 사례가 증가하고 있다.

이러한 친환경적인 그린 블록체인의 도입을 지원하기 위해 인프라 제공업체는 비용 효율적인 솔루션을 제공하는데 앞장서고 있으며, 환경문제가 점점 더 중요해짐에 따라 그린 블록체인의 채택은 장기적인 지속 가능성에서 매우 중요한 요소로 자리매김 하고 있다.

Web 3.0 기반 환경에서 인프라의 역할은 네트워크의 연결과 서비스 간에 연동이 가능한 중요한 구성 요소이며, 밑바탕이 되는 역할을 함으로 인해, Web 3.0 서비스나 프로젝트 도입 및 추진 시, 적절한 플랫폼을 선택해야 한다.

이러한 환경과 조건을 지원하는 플랫폼은 다수 존재하며, 대표적인 플랫폼은 폴리곤, 알고랜드, 테조스, 코스모스, 카르다노 등이 있다.

1. 카르다노(Cardano)는 기존 작업 증명 블록체인 보다 에너지 효율적이고 지속 가능하도록 설계된 지분 증명 블록체인 플랫폼이다.
2. 폴리곤 (Poygon)는 지분증명 합의 매커니즘을 사용하고 에너지 효율적으로 설계된 이더리움(Ethereum)용 레이어 2 확장 플랫폼이다.
3. 알고랜드(Algorand)는 에너지 효율적이고 안전하도록 설계된 합의 메커니즘을 사용하는 순수 지분증명 블록체인 플랫폼이다.
4. 테조스(Tezos)는 자체 수정 및 에너지 효율적으로 설계된 지분증명 블록체인 플랫폼이다.
5. 코스모스(Cosmos)는 기존 작업증명 블록체인보다 에너지 효율적이고 확장 가능하도록 설계된 합의 메커니즘을 사용하는 지분증명 블록체인 플랫폼이다.

WEB 3.0 인프라 핵심 구성 요소

그린 블록체인 플랫폼 기반에서 Web 3.0 인프라를 구성하기 위한 필요한 핵심 구성 요소를 지원하는 기능과 이와 연관된 플랫폼은 총 8가지 카테고리로 구성되어 있다.

6. 분산형 파일 스토리지 (Decentralized File Storage)

분산형 파일 스토리지는 중앙 서버에 의존하는 대신 데이터가 여러 노드에 저장되어 내구성과 가동시간이 보장되는 구조로 End-to-End 암호화를 통해 데이터 개인정보를 보장하며, 사용자는 자신의 데이터에 대한 완전한 제어권을 유지할 수 있도록 한다. 이를 지원하는 분산형 파일 스토리지 플랫폼은 파일코인(Filecoin), IPFS, 그리고 알위브(Arweave[1]) 가 있다.

IPFS(InterPlantary File System)의 약자로, 분산형 파일 시스템에 데이터를 저장하고 인터넷으로 공유하기 위한 프로토콜이다. 토렌트(Torrent)처럼 P2P 방식으로 대용량 파일과 데이터를 공유하기 위해서 사용되며, 하나의 서버가 다운되거나 파괴되더라도 파일을 잃지 않는다.

블록체인을 통해 탈중앙화 된 토큰 이코노미를 구성할 때, IPFS는 파일 저장과 보관의 측면에서 탈중앙화를 실현하는 수단이 되고 있다.

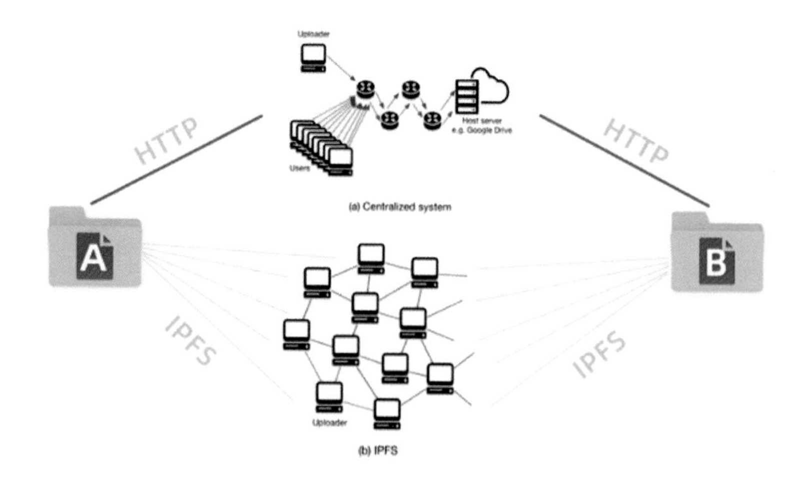

출처 : Ipfs.io

1 알위브(Arweave)는 블록위브(blockweave)라는 탈중앙화된 데이터 스토리지 프로젝트

IPFS 네트워크에 해당 파일을 업로드 하면, 파일 고유의 해시값이 산출되며 IPFS 상에서 이 해시값은 해당 파일의 영구적인 이름으로 활용되는 방식으로 구성되어 있다.

파일코인(Filecoin)은 IPFS 기술을 사용하여 탈중앙 분산형 클라우드 시스템을 구현하기 위한 암호화폐이다. 파일코인 네트워크는 데이터 스토리지를 주기적으로 확인하는 아마존(Amazon)의 S3의 P2P 버전으로 비유할 수 있으며, 처음부터 Web 3.0을 위해 설계된 스토리지이다.

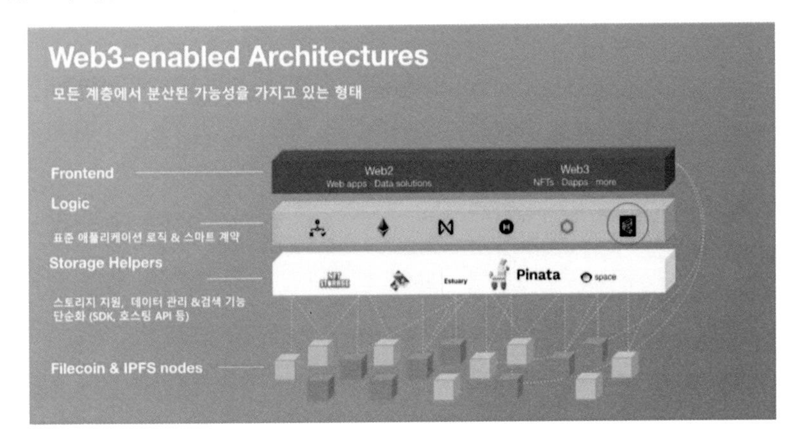

출처 : filecoin.io

파일코인은 IPFS의 인센티브 레이어로 토큰을 기반으로 시장을 형성하여 IPFS 발전에 기여 할수록 보상을 받는 구조로 저장소 시장(Storage Market)과 검색 시장(Retrieval Market)이 있으며, 각 시장에는 저장소 마이너와 검색 마이너가 있다.

저장소 시장에서는 사용자가 저장소 마이너에게 토큰을 지불하고 파일을 저장할 수 있으며, 검색 시장에서 사용자는 검색 마이너에게 토큰을 지불하고 파일을 전달 받을 수 있다. 두 시장 모두 사용자와 마이너는 자신의 주문을 설정하거나 가격을 제시할 수 있으며, 상대방의 제안을 받아들이거나 거부할 수 있다.

파일코인은 고정가격 대신 공급과 수요의 역학에 따라 스토리지 거래 가격을 책정하고, 스토리지 거래는 서비스 수준 제안 (Service Level Agreement, SLA)와 유사한 형태로 사용자는 지정된 기간 동안 데이터를 저장하기 위해 스토리지 제공업체에게 수수료를 지급하는 프로세스를 가지고 있다. 파일코인은 데이터의 안전한 저장을 위해 주기적으로 스토리지를 영지식 증명(Zero-Knowledge Proof, ZKP)으로 검증하는 암호 경제적 인센티브 모델을 사용하고 있다.

7. 오라클 & 데이터 제공자 (Oracles & Data Providers)

오라클(Oracles)은 실제 데이터가 포함된 스마트 계약을 제공하여 온체인과 오프체인의 격차를 해소하여 기존 서비스나 외부 데이터를 연결할 수 있는 역할을 하며, 신뢰성을 보장하기 위해 여러 오라클리이 데이터 정확성을 보장하여 조작 위험을 줄일 수 있도록 한다. 이를 지원하는 오라클 플랫폼은 체인링크(Chainlink)나 밴드 프로코톨(Band Protocol)이 있다.

8. 체인 간 상호 운용성 (Cross-Chain Interoperability)

다양한 블록체인 네트워크 간에 연결을 하거나, 데이터나 자산 등을 유동적으로 이동하고 공유할 수 있도록 지원하며 상호 운용성을 통해 블록체인 네트워크 간에 함께 통신하고 작동할 수 있는 통합 생태계를 구축할 수 있다. 이를 지원하는 플랫폼은 코스모스(Cosmos), 폴가닷(Polkadot), 인터레저(Interledger)가 있다.

9. 신원 및 평판 시스템 (Identity & Reputation Systems)

사용자는 중개자 없이 자신의 디지털 신원을 제어하고 관리가 가능한 자기주권 신원이 보장되며 한 플랫폼에서 구축된 평판은 다른 플랫폼에서 이전되고 인식될수 있는 평판 이식성이 가능하다. 이를 지원하는 분산형 ID 플랫폼은 유포트(uPort[2]), 아이덴3(Iden3[3]), 소브린(Sovrin[4]) 이 있다.

10. 확장성과 레이어-2 솔루션 (Scalability & Layer-2 Solutions)

블록체인 네트워크에서 트랜잭션 처리는 다양한 영역에 적용하는데 필수사항으로, 블록체인 네트워크에서 초당 더 많은 트랜잭션을 처리할 수 있는 높은 처리량을 지원하고, 이와 더불어 오픈체인 처리로 거래 비용을 낮출 수 있다. 이를 지원하는 Layer-2 플랫폼은 라이트닝 네트워크, 옵티미즘(Optimism[5]), 폴리곤(Polygon)이 있다.

---

2 유포트(uPort)는 사용자에게 분산형 ID 및 인증 서비스를 제공하는 이더리움 기반 프로젝트

3 아이덴3(Iden3)는 자기주권 분산형 ID를 기반으로 하는 플랫폼

4 소브린(Sovrin) 자기주권신원 네트워크를 관리하기 위해 설립된 민간 국제 비영리 단체

5 옵티미즘(Optimism)은 이더리움 레이어 2 솔루션

11. 거버넌스 & 탈중앙화자율 조직 (Governance & DAOs)

분산형 자율조직(DAO)는 중앙 집중식 통제 없이 사전 정의된 규칙에 따라 운영되는 유동적 조직으로, 이해 관계자가 프로토콜의 방향을 결정하는 커뮤니티 중심 프로세스를 구성하여 분산형 의사결정이 가능하도록 한다. 이를 지원하는 분산형 거버넌스 플랫폼은 메이커다오(MakerDAO), 아르곤(Aragon), 다오스텍(DAOStack)이 있다.

12. 분산형 금융 (Decentralized Finance Protocols)

누구나 중개자 없이 금융 서비스에 접근할수 있는 개방형 금융 시스템이며, 스마트 계약 기반 금융 거래를 자동화하고 맞춤화할 수 있는 프로그래밍 가능한 금융 서비스이다. 이를 지원하는 플랫폼은 메이커다오(MakerDAO), 유니스왑(Uniswap) 등이 있다.

13. 개인정보 보호 강화 기술 (Privacy Enhancing Technologies)

공개원장에서 추적할 수 없는 비공개 거래를 가능하게 하며, 사실 자체를 공개하지 않고 사실에 대한 내용을 증명하는 영지식 증명을 통해 개인정보 보호를 강화한다. 이를 지원하는 플랫폼은 영지식 증명을 위해 지캐시(Zcach[6]), ZK-SNARK를 사용하고, 토네이도 캐시(Tornado Cash[7])는 거래 개인정보 보호를 강화하는 용도가 있다.

---

6 지캐시(Cash)는 프라이버시 익명성에 초점을 맞춘 탈중앙화 암호화폐

7 토네이도 캐시(Tornado cash)는 익명 토큰 정송을 위한 오픈소스 솔루션

Web 3.0 인프라는 기초 공사를 하는 것과 유사하며, Web 3.0이 필요로 하는 전체적인 기능을 활용할 수 있도록 하는 인프라를 구성한다.

Web 3.0 기반 프로젝트나 서비스를 구현하기 위해서 요구되는 기능을 검토하여, 적합한 플랫폼을 선택하고 인프라를 구축하는 것이 중요하다.

제 7 장

Web 3.0 Wallet

Web 3.0 Wallet 112
Web 3.0 지갑 유형 117
Web 3.0 지갑 필수 기능 120

제 7 장 Web 3.0 Wallet

Web 3.0 구성 요소 중, 두번째로 Web 3.0 Wallet은 사용자와 개발자 모두 다양한 이유로 필수적인 사항으로 사용자의 관점으로 볼 때, 분산형 지갑은 암호화폐 자산에 대한 완전한 제어를 제공하여, 제 3 자의 간섭 없이 사용자의 행동에 따라 사용자가 자신의 자산에 대한 완전한 통제권을 보장해야 한다.

비즈니스 관점에서 Web 3.0 Wallet은 점점 더 분산되는 공간에서 경쟁력을 유지하려는 기업에게 매우 중요할 수 있으며, 수익 옵션은 제한되지 않지만 Wallet 플랫폼은 사용자 자금을 통제하지는 않는다.

기존의 암호화폐 지갑은 주로 암호화폐와 NFT를 다루는 반면에 Web 3.0 Wallet은 자산 관리 외에도 분산형 애플리케이션(Dapp)과 상호 작용 하도록 기능을 확장한 버전이라고 볼 수 있으며, 비수탁형이고 분산형 지갑으로 사용자에게 완전한 제어권을 제공하는 기존 거래소 운영 지갑에 비교해 보면 보안 개인 정보보호와 사용자 친화성을 향상시킬 수 있는 장점이 있다.

Web 3.0 기반의 Wallet은 분산화를 핵심 원칙으로 플랫폼 개발자가 어떤 이유로든 앱을 제어할 수 없도록 하여 지갑 애플리케이션을 더욱 사용자 중심적으로 만들 수 있다.

예로 들게 되면, 대표적인 Wallet인 메타마스크(Metamask)는 사용자의 암호키에 대해 통제권이 없으며, 사용자에게 위임과 모든 통제권을 부여한 형태로 서비스되고 있어, 암호화키를 분실 시 복구하지 못하는 상황에 직면할 수도 있음으로 인해 사용자의 책임과 관리가 중요시 되고 있다.

Web 3.0 Wallet은 비수탁형 지갑 형태로, 사용자에게 자산에 대한 모든 권한을 부여하여 기본적인 인터넷 윤리를 준수하면서 모든 발생할 수 있는 문제를 해결할 수 있으며, 개발자는 사용자 계정을 제어할 필요가 없으며, 사용자의 개입 없이 지원, 유지 관리와 전반적인 거버넌스를 제공하는 정도의 수준으로 지원하는 형태로 구성되어 진다.

이러한 장점에 불구하고도 Web 3.0 Wallet은 여러가지 사용자 경험(UX) 문제로 인해 마찰에 부딪힘으로 인해 더 광범위하게 채택되는 것을 방해 받고 있다.

일반적으로 12 ~ 24 개의 단어로 구성된 복잡한 시드 문구(Seed Phrase[1])는 Wallet의 백업 역할을 하여, 사용자가 자산을 복구할 수 있도록 지원하고 있음으로 인해 이러한 문구를 안전하게 저장하고 백업하도록 의존하게 되면 단일 실패 지점이 발생하고 상당한 사용성 문제가 발생할 수 있다.

더욱이 하드웨어 지갑(Hardware Wallet)은 보안이 뛰어나지만 복잡성과

1 시드 문구(Seed Phrase)는 Web 3.0 지갑에서 엑세스 하는데 사용할 수 있는 문구

가파른 학습 곡선으로 인해 발생하는 진입 장벽 문제르 해결해야 하는 문제로 계정 추상화 같은 기능이 등장하기 시작했다.

계정 추상화는 새로운 사용자를 Web 3.0 샐태계에 온보딩 할 때, 발생하는 마찰을 줄이고 프로그래밍 가능한 자체 관리 계정(스마트 계정)을 도입하여 사용자 지갑 상호 작용을 단순화하는 것을 목표로 하고 있다. 한 예로 소셜 복구 방법은 사용자의 장치, 소셜 로그인 공급자와 복구 방법에 개인 키를 분할하여 안전하게 저장하는 방식을 통해 Web 2.0 인증과 Web 3.0의 보안, 그리고 개인 정보보호 기능을 결합하여 사용자 친화적인 온보딩 경험을 갖춘 비수탁형 지갑을 구현할 수 있다.

사용자 경험(UX) 문제를 해결하고 계정 추상화와 소셜 복구와 같은 솔루션을 제공함으로써, Web 3.0 지갑은 더 쉽게 접근할 수 있으며 Web 3.0 공간에 새로 참여하는 사람들 사이에서 더 폭넓은 채택을 촉진할 수 있다.

Web 3.0 지갑은 블로체인 기술과 암호화폐의 인기가 계속 높아짐에 따라 금융 인프라에서 점점 더 중요한 부분이 될 것이며, 암호화폐, NFT, 그리고 기타 디지털 자산을 보관하는 역할이 중요함으로 모든 사용자들에게 필수적인 엑세스 포인트로 자리매김 할 것이다.

Web 3.0 Wallet은 블록체인 네트워크와 상호 작용하는데 유용한 도구가 되는 다양한 기능이 포함되어 있다.

첫번째로 P2P(Peer-to-Peer) 기능으로 Web 3.0 지갑을 사용하면 은행이나 결제 플랫폼과 같은 중개자 없이도 블록체인 네트워크를 통해 한 지갑에서 다른 지갑으로 돈을 보낼 수 있다.

두번째로 다중자산 기능으로 Web 3.0 지갑은 다양한 블록체인 네트워크와 애플리케이션과 함께 사용할 수 있으므로 다른 지갑 간에 연결할 필요 없이 단일 인터페이스에서 암호화폐, NFT와 같은 여러 디지털 자산을 쉽게 관리할 수 있다.

세번째로 보안 기능으로 Web 3.0 지갑은 강력한 암호화를 사용하여 해커 및 기타 제 3 자의 위협으로 부터 개인키를 보호한다.

네번째로 상호 운용성 기능으로, Web 3.0 지갑은 다른 Web 3.0 애플리케이션과 상호 작용할 수 있으므로 사용자가 분산 교화느 마켓플레이스나 기타 블록체인 기반 애플리케이션과 간단하게 상호 작용할 수 있다.

다섯번째로 개인 정보보호 기능으로 Web 3.0 지갑은 사용자에게 개인정보를 제 3 자 제공업체와 공유할 것을 요구하지 않으며 디지털 자산과 개인 데이터에 대해 더 큰 통제력을 유지할 수 있다.

Web 3.0 지갑은 오픈소스 형태로 오픈소스 소프트웨어 기반으로 누구나 버그를 보고하고 수정할 수 있으며, 악의적인 사용을 방지할 수 있다. 자신의 자산을 완벽하게 통제할 수 있어 회원이나 기업과의 개인 거래가 가능한 구조이다.

거래소에서 운영하는 지갑에서 볼 수 있듯이 이전에 사용자의 암호화폐 보유를 통재했던 중앙화된 기관을 제거한 탈중앙화 방식이며, 어디서나 인터넷을 연결하거나 거래용 스마트 기기만 있으면 접근할 수 있어 편의성을 향상시켰다.

일반적으로 키는 복잡한 수학적 알고리즘을 사용하여 생성되며, 블록체인 네트워크에서 트랜잭션에 서명하는데 사용한다. 사용자가 Web 3.0 지갑을 생성하면, 지갑은 공개키와 개인키라는 한쌍의 키를 생성하고 공개 키는 거래를 수신하는데 사용되는 반면에 거래에 서명하고 디지털 자산의 소유권을 확인하는데 사용한다. 사용자는 고급 암호화 기술을 사용하여 개인키를 보호하는 형태의 지갑을 통해서 디지털 자산을 접근할 수 있으며, 일부 지갑은 지갑에 대한 무단 접근을 방지하기 위해 다단계 인증과 생체 인식 확인과 같은 추가 보안 기능도 제공한다.

Web 3.0 지갑이 설정되고 개인키가 생성되면 블록체인 네트워크와 상호 작용을 시작할 수 있으며, 디지털 자산을 전송하거나 수신이 가능하고, 더불어 스마트 계약과 상호 작용도 가능하다.

지갑에서 디지털 자산을 보내려면 수신자의 공개 주소와 보내려는 금액 입력하기만 하면 지갑은 개인키를 사용하여 거래에 서명하고 확인을 위해 블록체인 네트워크에 브로드캐스트 하게 된다. 보낸 디지털 자산은 받는 사용자의 지갑을 사용하여 받을 수 있으며, 거래를 수신하면 블록체인 네트워크에 브로드캐스트 되고, 공개원장에 기록한 후, 지갑에 디지털 자산의 수량이 업데이트 되어 새 잔액이 반영되어 확인할 수 있게 된다.

디지털 자산을 보내고 받는 것 외에도 Web 3.0 지갑은 스마트 계약과 상호 자공이 가능하며, 스마트 계약은 계약 조건이 코드로 작성된 자체 실행 계약으로 데이터 전송과 수신, 계약 실행 트리거, 디지털 자산 소유권을 확인하여 상호 작용할 수 있다.

스마트 계약에는 공급만 관리, 분산 금융, 디지털 신원 확인, 자산 토큰화 등 많은 잠재적인 사용 사례가 있으며, 더 많은 산업이 블록체인 기술의 잠재력을 탐구하기 시작함에 따라 Web 3.0 지갑의 사용이 널리 대중화 될 가능성이 높다.

WEB 3.0 지갑 유형

Web 3.0 지갑의 유형에는 브라우저 기반 지갑, 모바일 지갑, 하드웨어 지갑, 데스크탑 지갑이 있으며, 각각의 고유한 기능과 이점이 있다.

첫번째로 브라우저 기반 지갑으로 웹 브라우저를 통해 접속할 수 있는 지갑으로 설치가 필요하지 않으며, 인터넷 연결이 가능한 곳 어디에서나 엑세스 할 수 있으므로 사용이 편리하다. 기본적으로 바르고 쉬운 거래를 위해 자주 사용하면 피싱 공격과 같은 보안 취약성에 취약할 수 있다.

두번째로 모바일 지갑으로 스마트폰과 태블릿에 설치되는 지갑으로 이동 중에도 디지털 자산에 엑세스하려는 사용자에게 이상적이며 보안 강화를 위해 생체 인증과 푸시 알림과 같은 기능으로 함께 제공되는 경우가 많다. 편의성 외에도 모바일 지갑은 높은 수준의 보안을 제공하여 해킹이나 기타 위협으로 부터 보호하기 위해 고급 보안 기능으로 암호화되는 구조이다.

일부 모바일 지갑은 개인 키와 시드 문구를 백업하는 기능도 제공하여 사용자가 장치를 분실하거나 도난당한 경우 자산을 복구할 수 있도록 지원한다. 모바일 지갑은 여전히 맬웨어와 기타 위험에 취약한 점이 있음으로 신뢰할 수 있는 소스에서만 모바일 지갑을 다운로드 하여 사용하는게 중요하며, 장치와 지갑 소프트웨어를 항상 최신 상태로 유지하는 것이 좋은 방법이다.

세번째로 하드웨어 지갑으로 개인키를 오프라인으로 저장하는 물리적 장치로, 디지털 자산을 저장하는 가장 안전한 방법 중 하나이다. 지갑에는 추가 보호를 위해 PIN코드나 백업 시드와 같은 기능이 함께 제공되며, 디지털 자산에 대해 최고 수준의 보안을 원하는 사용자에게 이상적인 지갑이다.

하드웨어 지갑은 변조 방지 기능을 갖도록 설계 되어 있으며, 쉽게 해킹 되거나 손상되지 않도록 보장함으로 대량의 디지털 자산을 저장하거나 장기간 보관하는데 자주 사용 된다. 하지만 다른 유형의 Web 3.0 지갑보다 비용이 더 많이 들고 사용하기가 덜 편리할 수 있으며, 자산에 엑세스 하고 관리하려면 컴퓨터나 모바일 장치에 대한 물리적 연결이 필요한 부분이 있다.

네번째로 데스크탑 지갑으로 컴퓨터에 설치되며 디지털 자산을 저장하는 안전하고 개인적인 방법을 제공한다. 거래 및 기타 Web 3.0 활동에 컴퓨터를 사용하려는 사용자에게 적합하며, 개인키가 컴퓨터 로컬에 저장되므로 높은 수준의 보안을 제공한다.

데스크탑 지갑에는 다단계 인증과 암호화 같은 고급 보안 기능이 함께 제공되며, 오픈 소스인 경우가 대부분으로 사용자가 코드를 확인하고 지갑이 안전한지 확인할 수 있다. 하지만, 맬웨어나 기타 위험에 취약할 수 있음으로 바이러스 백신 소프트웨어를 사용하거나 신뢰할 수 있는 소스에서만 데스크탑 지갑을 다운로드하여 사용하는 것이 중요하다.

Web 3.0 지갑은 4가지 유형으로 구성되어 있음으로, 개인이나 기업이 필요로 하는 요건에 따라 적합한 유형을 선택하여 사용하거나 서비스를 구축하는데 활용하는게 적합한 방법이라고 할 수 있다.

WEB 3.0 지갑 필수 기능

지금까지 Web 3.0 지갑에는 다양한 기능을 제공하고, 필요 요건이 있었으며,이와 관련해서 중요한 부분은 보안이라고 볼 수 있다. 보안에서는 개인키 보호, 지갑 백업과 복구, 사기식별과 방지를 위한 기능이 필수적으로 제공되어야 한다.

첫번째로 Web 3.0 지갑 보안의 가장 중요한 측면은 개인키를 보호하는 것으로 디지털 자산의 안전을 보장하려면 하드웨어 지갑과 같이 개인키를 저장하기 위해 강력한 암호화를 사용하는 지갑을 사용해야 하며, 개인키를 누구와도 공유하지 말아야 하고 안전한 위치에 개인키를 백업해야 한다.

두번째로 지갑백업과 복구기능으로 개인키를 분실한 경우에 대비해 백업 계획을 마련하는 것이 중요하며, 대부분의 Web 3.0 지갑에는 사용자가 지갑을 복원하거나 손실된 디지털 자산을 복구할 수 있는 백업 문구나 시드가 함께 제공됨으로 이 문구를 적어서 안전한 곳에 보관해야 한다.

세번째로 사기 식별과 방지 기능으로 악의적인 행위자로 부터 사기를 방지하기 위해 검증되거나 신뢰가 보장되는 지갑을 사용하고 의심스러운 웹사이트나 애플리케이션에 개인키나 기타 민감한 정보를 입력하지 말아야 한다.

Web 3.0 지갑을 제공하는 사례는 다양한 영역에 제공하고 있으며, 대표적으로 많이 사용하는 지갑은 메타마스크(Metamask)로 분산형 애플리케이션(Dapp)내 NFT나 암호화폐를 원활한 저장과 거래를 위한 브라우저 확장 버전과 모바일 앱을 제공하는 가장 인기 있는 지갑이다.

그외 지갑의 사례는 암호화폐 거래소가 직접 지갑을 개발하여 제공하는 경우로, 코인베이스나 OKX, 바이낸스 등은 사용자 이름과 같은 고유한 기능을 제공하면서, 토큰 거래를 편리하게 이용할 수 있는 분산형 비수탁 지갑이 있으며, 트러스트 월렛(Trust Wallet[2])은 스테이킹과 같은 추가 분산형 금융(DeFi) 기능을 갖춘 디지털 지갑이나 이더리움 메인넷과 스타크넷(StarkNet[3])을 지원하는 zkSync[4]를 기반으로 구축된 아젠트(Argent[5]) 지갑이 있다.

Web 3.0 지갑은 Web 3.0 구성 요소에 사용자와의 접점에서 많이 사용되는 중요한 역할을 하고 있으며, 필수적으로 제공되는 기능외에도 추가적으로 사용자 경험 향상과 강화된 보안, 그리고 타 기술과의 접목을 통해 다양한 기술을 적용하여 기능을 향상시키고 있다.

Web 3.0 지갑 개발이나 제공하는 입장에서 개인 데이터 보호가 최우선 과제가 될 것이며, 인공지능과 연계를 통한 사용자 지원 서비스나 메타버스와

2 트러스트 월렛(Trust Wallet)은 바이낸스(Binance)가 제공하는 암호화폐 지갑

3 스타크넷(StarkNet)은 이더리움 블록체인의 낮은 확장성을 개선하기 위해 영지식(ZK) 롤업을 활용하는 레이어2 프로토콜

4 zkSync 는 영지식 증명을 활용하여 효율적인 트랜잭션을 보장하는 이더리움 레이어2 플랫폼

5 아젠트(Argent)는 이더리움 중심의 암호화폐 지갑

같은 타 서비스와 연동과 3D 기술을 접목하여 사용자 경험을 향상시키는 형태로 진화하고 있다. 이와 더불어 개발 측면에서는 로우코드 소프트웨어를 사용하여 구축되어 드래근 앤 드롭(Drag and Drop) 작업으로 개발을 간소화하는 프로세스를 도입하고 있다.

제 8 장

Web 3.0 기반 NFT

Web 3.0 기반 NFT 126
Web 3.0 기반 NFT 활용 영역 130
새로운 토큰인 소울 바운드 토큰(SBT) 132
Web 3.0 기반 NFT 추진 사례 133

제 8 장 Web 3.0 기반 NFT

분산형 Web 3.0 구성에서 필수적인 요소로 등장한 대체불가능토큰(NFT)는 블록체인의 고유한 디지털 자산으로 디지털 이미지만을 표현하는 것 뿐만 아니라 토지 소유권과 디지털 수집품을 포함한 광범위한 자산의 소유권을 인증하는데 활용 될 수 있으며, 가상 부동산, 게임 내 아이템, 가상 캐릭터, 디지털 아트, 음악, 비디오와 같은 게임 그리고 메타버스 애플리케이션에 점점 더 많이 배포되고 활용되고 있다.

NFT는 크리에이터 경제의 생태계를 조성할 수 있는 주요 역할을 제공할 수 있으며, 크리에이터 경제는 뮤지션, 아티스트, 개발자 등 떠오르는 크리에이터 커뮤니티가 팬이나 서포터와 직접 연결된 것으로, Web 3.0에서는 크리에이터가 중개자 없이 마찰 없는 공동 작업에 참여하는 것을 원칙으로 한다.

다양한 디지털 환경에서 온라인으로 많은 시간을 보내는 사람들에게 돈을 벌 수 있는 기회를 제공하는 제작자 경제 생태계를 활성화하는데 대채불가능토큰(NFT)는 중요한 역할을 하며, 제작자가 자신의 작품을 직접 마케팅 할 수 있는 방법을 제공할 수 있다.

이러한 NFT의 장점과 역할로 인해, 기업들은 비즈니스로 활용하는 것의 가치를 인식하고 있으며, 새로운 고객 경험을 제공하는 용도나 브랜드 이미지 개발을 위한 수단, 제품에 대한 인증 도구를 제공하여 위조 방지에 활용, 고객 로열티를 향상시키기 위한 매개체 역할, 커뮤니티를 구축하고 금융 자산으로 백업하는 등의 용도로 다방면에서 활용되고 있다.

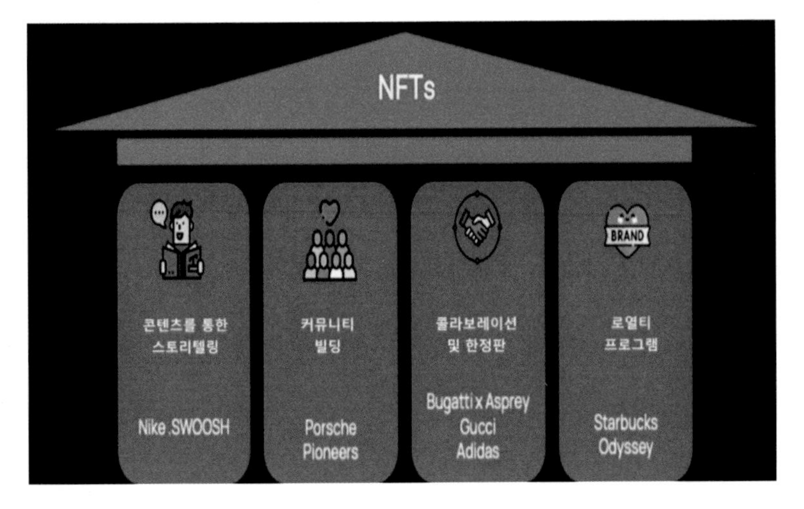

출처 : Delphi Pro

NFT는 스토리텔링을 증폭시켜 기존 콘텐츠에 상호 작용성과 소유권, 가치 계층을 추가할 수 있도록 하는 역할을 한다.

소유권을 소비자가 브랜드 스토리의 진정한 이해관계자라는 느낌을 갖게 하며, 소비자는 NFT를 사용하여 독점 스토리와 비하인드 스토리 콘텐츠를 잠금 해제할 수 있다.

NFT 보유자는 투표를 할 수 있으며, 스토리텔링 과정에서 공동저자가 될 수 있는 기회를 가질 수 있다. NFT는 결정 지점, 투표, 추가 줄거리나 캐릭터 잠금 해제와 같은 대화형 스토리텔링 요소를 촉진하는 역할을 한다.

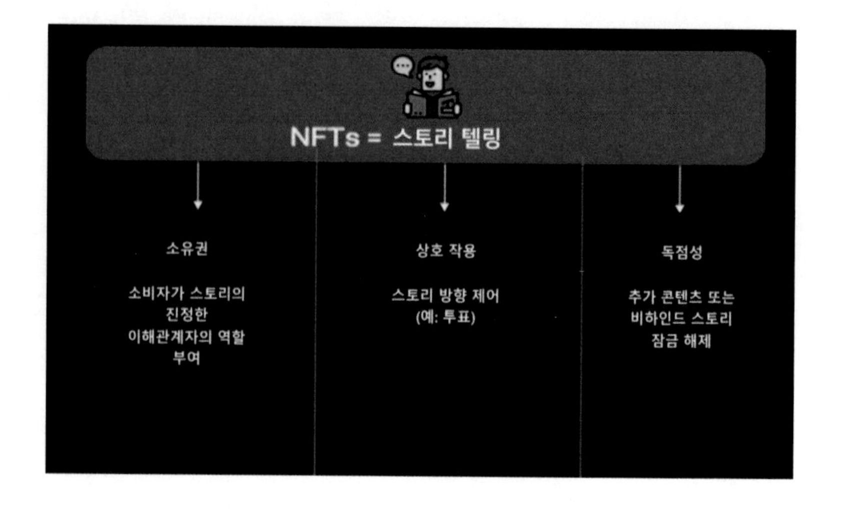

출처 : Delphi Pro

NFT는 커뮤니티를 통해 브랜드가 고객과 더욱 긴밀하게 연결하고 공동 창작할 수 있는 기회를 제공하는 것으로, 커뮤니티를 통한 공동체 의식을 구축하면 브랜드 충성도를 높일 수 있으며, 소비자는 상호 가치와 이익을 공유하는 그룹에 속해 있다고 느낄 때 충성도를 유지할 가능성이 향상 될 것이다. 이러한 커뮤니티를 통해 브랜드는 고객과 실시간 대화에 참여하여 고객의 요구사항을 더 깊이 이해할 수 있는 플랫폼을 확보하게 된다.

이와 더불어 브랜드 전용 커뮤니티는 귀중한 사회적 증거를 제공할 뿐만 아니라 브랜드의 가장 영향력 있는 홍보대사 역할을 수행할 수 있다.

NFT는 콜라보레이션이나 한정판 드롭으로 활용할 수 있으며, Web 3.0에 진출하려는 브랜드가 PFP 커뮤니티와 같은 Web 3.0 브랜드와 협력하는 방안으로 추진하는게 좋은 전략이다. 한정판 드롭은 브랜드 콜라보레이션의 초석 전략으로 상당한 소비자 관심과 참여를 유도할 수 있는 기회와 독점성을 조성할 수 있으며, 수집가는 자신의 품목이 진품인지, 실제로 희소성이 있는지 온체인으로 확인할 수 있을 뿐만 아니라, 실제 세계에서는 얻을 수 없는 총 공급량이나 소유권 활동을 추적 할 수 있다.

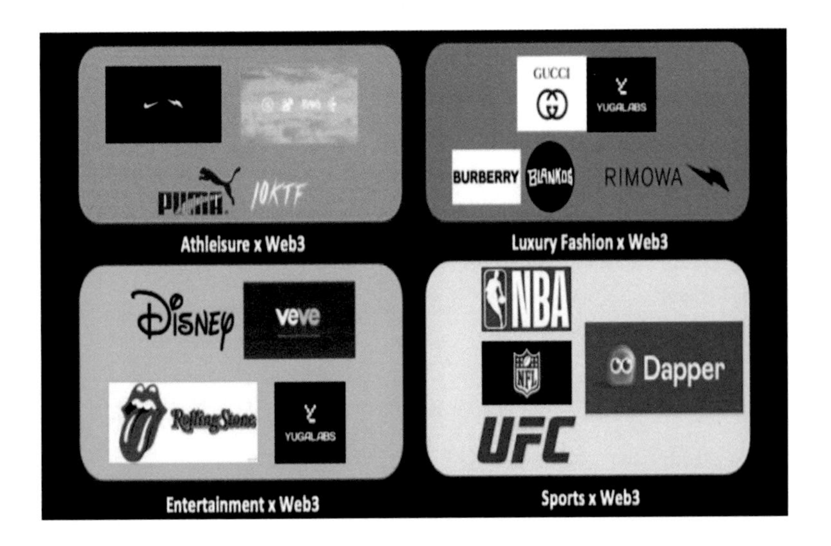

출처 : Delphi Pro

NFT는 로열티 프로그램을 통해 소비자에게 보상을 제공하여, 소비자에게 혜택과 새로운 경험을 체험할 수 있는 기회를 제공한다. 이러한 로열티 프로그램을 위해 상품권이나 물리적 제품과 디지털 수집품 간에 연동하거나, 토큰 기반 커뮤니티 접근을 위한 멤버십 용도, 그리고 독점 이벤트 초대권을 제공하는 방식으로 활용될 수 있다.

WEB 3.0 기반 NFT 활용 영역

Web 3.0 기반 NFT 활용은 기본 요소의 특징을 기반으로 다양한 영역에서 활용되고 있으며, 브랜드나 기업들은 서비스나 요건 사항에 맞게 그들에게 적합한 방법으로 추진하고 있다.

첫번째로 브랜드는 소비자가 NFT에 참여하여 특별 콘텐츠나 할인 또는 경험을 잠금 해제하는 대화형 캠페인을 설계할 수 있으며, 이러한 상호 작용은 소비자 참여를 높이고 역동적인 브랜드와 소비자 관계를 형성할 수 있는 인터랙티브 캠페인을 활용할 수 있다.

두번째로 브랜드는 NFT를 사용하여 온라인 커뮤니티를 구축하고 보상할 수 있으며, NFT 소유권을 활용하여 독점 포럼, 이벤트나 토큰에 대한 접근 권한을 제공함으로써, 소비자의 소속감을 조성하고 브랜드 친밀도를 강화할 수 있도록 커뮤니티 구축에 활용될 수 있다.

세번째로 브랜드는 고유한 한정판 디지털 자산을 NFT로 만들어 소비자에게 독점적인 콘텐츠나 액세스 권한을 제공함으로써, 제품이나 이벤트 또는 마일스톤과 연결되어 독점성과 희소성을 키울 수 있다. 가상 이벤트, 콘서트나 경험에 대한 엑세스 권한을 부여하여 디지털 티켓으로 전환할 수 있으며, 참석자는 액세스 권한을 부여하는 고유한 NFT를 받아 소유권과 참여할 수 있는 경험을 통해 충성도와 브랜드에 대한 만족도를 높일 수 있다.

네번째로 브랜드는 교육 목적으로 NFT를 사용하여 소비자에게 NFT 소유권과 관련된 귀중한 정보나 통찰력을 제공할 수 있다.

다섯번째로 NFT는 고유한 식별자를 나타낼 수 있으므로 브랜드는 소비자의 NFT 소유권을 기반으로 경험을 맞춤화할 수 있으며, 개인화된 콘텐츠나 제안 또는 서비스는 소비자의 NFT 포트폴리오를 기반으로 동적으로 전달될 수 있다.

NFT는 블록체인 기술 기반으로 운영되는 형태로서, 디지털 자산의 소유권과 신뢰성의 투명성을 보장하는 구조이므로 인해 소비자는 브랜드와 관련된 NFT의 출처와 희소성을 신뢰할 수 있으며, NFT 마켓플레이스와 같은 2차 시장에서 NFT의 거래 가능성을 활용할 수 있으므로, 브랜드는 NFT의 거래, 재판매나 선물하기를 장려하여 디지털 자산의 도달 범위와 영향력을 확장할 수 있다.

새로운 토큰인 소울 바운드 토큰(SBT)

블록체인 기술이 발전함에 따라 토큰의 유형과 기능이 발전하면서 소울 바운드 토큰(Soul-Bound Token[1], SBT)이라는 분산형 디지털 세계에서 개인의 신원을 나타내는 것으로 신원 확인을 위한 토큰의 유용성에 적용되는 기술이 2020년에 등장하면서, 그 활용도는 더 높아지고 있다.

SBT는 신원확인에 사용될 수 있으며, 개인이 민감한 정보나 온라인 서비스에 접근하기 위해 누구인지 증명할 수 없으며, 중앙 당국이나 기관에 의존하지 않고 개인에게 자신의 개인 데이터와 신원을 제어할 수 있는 권한을 부여하여 은행 서비스를 이용할 수 없는 사람들을 위한 디지털 신원으로 사용될 수 있다.

이러한 스펙은 기존 적용 영역에서 소셜 미디어에서 게시물이나 계정 작성자의 신원을 증명하는데 사용될 수 있으며, 자신의 개인 데디터와 신원에 대한 통제권을 부여할 수 있다.

1 소울 바운드 토큰(SBT)는 특정 지갑 소유자의 신원을 나타내는 정보를 담고 잇으며, 무엇보다 전송이 불가능하여 판매할 수 없다는 특징을 가지고 있다.

SBT와 NFT의 차이점

번호	SBT	NFT
1	SBT는 전송불가능한 토큰으로 제 3 자에게 전송될수 없음	NFT는 대체불가능 토큰으로 제 3 자에게 전송되거나 2차 시장에서 거래될 수 있음
2	SBT는 증명서, NFT 등 다양한 자산에 적용될 수 있으며, 사회적 정체성을 표현하는데사용될 수 있음	NFT는 주로 디지털 자산에 적용됨. 특히, 디지털 자산의 소유권, 진위 여부 확인 등에 사용됨
3	SBT는 커뮤니티에 의한 복구 매커니즘을 포함하고 있음	NFT는 디지털 자산 범주에 속하므로 분실 또는 실수로 타인에게 양도되면 사용자가 복구하는 것이 거의 불가능
4	SBT는 승인된 기관이 부여한 문서, 인증서 및 기타 법적 계약에 대한 엑세스 권한을 제공할 수 있음	NFT는 신원 확인이 없는 공개 및 비공개 이벤트에서 티켓으로 사용될 수 있음

출처 : Cyrptoimes, MANA Ventrues

점진적인 기술적인 발전에 따라 대체불가능토큰(NFT)는 브랜드 참여를 촉진할수 있는 기본 요소인 콘텐츠를 통한 스토리텔링과 커뮤니티 빌딩, 콜라보레이션이나 한정판 출시, 로열티 프로그램을 기지고 있으며, 요소들 간에 통합하여 균형 잡힌 Web 3.0 브랜드 전략을 세울 수 있다.

WEB 3.0 기반 NFT 추진 사례

대표적인 Web 3.0 기반 NFT 추진 사례는 나이키(Nike)로 .Swoosh 커뮤니티를 통해 회원들에게 NFT 컬렉션인 Our Force 1 디지털 스니커즈 컬렉션 제작에 참여할 수 있는 권한을 부여하였으며, 커뮤니티 내에 신뢰를 구축하는데 목적을 두고 적정한 가격 수준을 적용하여 더 많은 소비자들이 참여할 수 있도록 장려하였다.

정기적으로 독점 디지털 NFT 운동화 컬렉션을 계절별로 출시하여, 소비자들의 참여를 유도하였으며, 다양한 게임, 소셜 앱, 메타버스를 활용하여 유틸리티를 확장하여 가상세계에서 NFT를 착용하는 빈도에 따라 보상을 얻을 수 있는 모델인 웨어 투 언(War-to-Earn[2] , W2E)을 활용하여 기존 유료 소셜 미디어 캠페인보다 훨씬 더 확실한 광고 형태를 제공할 수 있도록 하였다.

나이키(Nike)는 .Swoosh 커뮤니티를 통해서 새로운 제품과 컨셉을 위한 귀중한 테스트 장소로 활용하여 초기 채택과 피드백을 위해 참여 사용자 기반을 활용함으로써, 제품 개발비용과 시간을 크게 줄일 수 있었다. 나이키(Nike)의 이러한 접근 방식은 수익 창출 뿐만 아니라 브랜드 구축 활동에 염두에 두고 설계되었으며, 두가지 요소를 균형 잡히도록 추진되었다.

포르쉐(Porsche)는 NFT를 시간이 지남에 따라 진화하는 맞춤형 디지털 수집품으로 제공하여 소유자가 토큰에 자신의 개성을 각인할 수 있도록 커뮤니티 구축을 위한 접근 방식을 채택하였다. 다양한 글로벌 도시에서 독특한 오프라인 이벤트를 개최하여 커뮤니티를 활성화 시켰으며, 베를린

2 웨어 투 언(Wear-To-Earn)은 메타버스와 같은 온라인 활동을 위한 다양한 디지털 패션 아이템을 에어러블 NFT로 활용하여 착용하고 수익을 얻을 수 있는 모델

에서 열린 3 일간의 포뮬러 E 이벤트 동안 포르쉐 NFT 오너들을 포르쉐 모터스포츠 라운지에 모여 경주 차고를 둘러보고 포르쉐 타이칸을 타고 스릴 넘치는 랩을 개최하였다.

포르쉐는 나이키와 같이 폭넓은 고객 전략과 대조를 이루는 방식으로 커뮤니티를 육성하는데 집중하였으며, 온라인이 아닌 실제 경험을 제공함으로써, 포르쉐 핵심 팀원의 참여로 강화된 NFT에 독점성과 실질적인 가치를 적용하였다.

포르쉐는 맞춤형 가상 자동차 시리즈를 대표하는 911 NFT 컬렉션을 통해서 이 컬렉션을 보유한 고객에게 가상 911을 전시할 수 있는 가상 쇼케이스 방법을 제공하여 소셜 미디어에서 공유할 수 있는 애니메이션부터 상품이 있는 게임, 레이싱 비디오 게임 내 혜택가지 다양한 옵션을 제공하였다.

이러한 새로운 독점 제품 출시와 충성도와 추천 프로그램, 열성팬이 옹호하는 마케팅 이니셔티브 등을 통해서 육성한 커뮤니티를 활용하여 실질적인 비지니스 가치를 창출하였다.

스타벅스(Starbucks)는 로열티 프로그램인 스타벅스 오디세이(Starbucks Odyseey)를 통해 특정 고객 활동을 장려하기 위해 활동 루프를 독창적으로 설계하였으며, NFT를 사용하여 브랜드에 대한 고객 참여를 높이고 커뮤니티를 형성할 수 있는 새로운 매커니즘을 도입하였다.

로열티 프로그램을 온체인으로 가져오고 지출 외에 다른 지표를 사용함으로써, 스타벅스는 고객이 무엇을 하고 있는지에 대한 구체적인 통찰력을 얻고 행동을 기반으로 열성팬을 식별할 수 있는 용도로 활용하였다.

고객에게 최고 수준 혜택과 가치를 부여하기 위해, 5주 연속 시그니처 음료 구매에 대한 보상을 제공하거나 일부 여정에 재사용 가능한 컵 사용을 장려하는 것으로 인센티브는 고객이 습관 형성을 위한 촉매제 역할을 하는 보상과 함께 새로운 행동을 탐색하도록 유도하였다. 사용자는 블록체인 기술과 직접 상호 작용할 필요 없이, 신용카드를 사용하여 한정판 컬렉션을 구매할 수 있으며, 니프티 게이트웨이(Nifty Gateway[3])와 제휴하여 사용자가 자신의 지갑을 관리할 필요가 없고, 온보딩 마찰을 줄일 수 있도록 사용자를 위한 관리형 지갑 솔루션을 제공하여 Web 3.0 지갑을 추상화 함으로써 프로세스를 단순화하는 편리성을 제공하였다.

이와 같이 NFT의 활용 영역은 다양하며, 목적과 서비스 유형에 따라 적용되는 방법은 차이가 있지만 기본적인 공통점은 멤버십 형태로 활용하는 비중이 높다고 볼 수 있다. 기존 멤버십 형태는 사용자의 이름이나 비밀번호를 조합하여 플랫폼 제공자가 제어하는 기타 인증 방법으로 처리하며, 사용자는 종종 자신의 데이터나 소유권을 가지고 있지 않아, 플랫폼 제공자가 사용자 정보와 콘텐츠에 대한 통제권을 보유하고 있으나, Web 3.0 기반 NFT 멤버십을 블록체인 기술을 통해 사용자에게 제어권이 분산되는 탈중앙화 기반

3 니프티 게이트웨이(Nifty Gateway)는 대표적인 NFT 아트 거래 플랫폼

으로 NFT를 활용하여 소유권과 액세스 권한을 사용자에게 통제권을 제공하는 방식이다.

기존 멤버십 구조는 특정 플랫폼에 종속되어 있어, 플랫폼 내에서 미리 정의된 기능 집합에 대한 액세스를 제공하는 형태로, 서로 다른 플랫폼에서 상호 운영할 수 없어, 사용자는 사용하는 각각의 서비스에 대해 별도의 자격증명이 필요하다. 하지만, Web 3.0 기반 멤버십은 잠재적으로 다양한 탈중앙화 애플리케이션(Dapp)과 플랫폼에서 사용될 수 있는 형태로 사용자에게 통합된 디지털 ID를 제공하여, 플랫폼 간에 연동할 수 있도록 상호 운용성을 가능하게 한다.

Web 3.0 기반 NFT는 디지털 수집품을 보고 거래를 인증하는 방식을 변화시킴에 따라 게임이나 메타버스와 같은 가상세계에서 소유권과 지기주권 서비스가 가능한 영역으로 변화시키고 있다. 디지털 소유권과 관련하여 중앙 집중식 형태의 기존 자산과 달리 NFT는 소유권을 제공함으로써, 다양한 가상환경에서 디지털 자산을 사용할 수 있으며, 별다른 위험 요소 없이 디지털 자산을 소유하고 통제할 수 있도록 자기주권을 제공하는 방식을 채택하고 있다. 이와 같이 NFT는 기업에게는 새로운 고객 경험과 고객과의 밀접한 소통을 할 수 있는 기회를 통해 사용자에게는 소유권을 보장하고, 자기주권 신원을 통제할 수 있는 권한을 관리할 수 있는 새로운 흐름을 제공하는 매개체 역할을 하고 있다

제 9 장

Web 3.0 기반 분산형 금융(DeFi)

Web 3.0 기반 분산형 금융 140
Web 3.0 기반 분산형 금융의 이점 145
Web 3.0 기반 분산형 금융 핵심 요소 146
Web 3.0 분산형 금융 프로토콜 유형 149
Web 3.0 기반 분산형 금융 기능 151
분산형 금융 파생 기능 (MetaFi) 155
분산형 금융 파생 기능 (GameFi) 157
분산형 금융 파생 기능 (NFTFi) 162
분산형 금융 파생 기능 (ReFi) 168
Web 3.0 기반 분산형 금융 고려 사항 172

제 9 장 Web 3.0 기반 분산형 금융 (DeFi)

Web 3.0을 통해 전통적인 웹 애플리케이션에서 더 많은 웹 기반 서비스로의 전환을 보기 시작했으며, 로컬 컴퓨터에 애플리케이션을 설치하고 실행하는 대신 웹 브라우저를 통해 액세스를 할 수 있게 됨에 따라, 사용자는 더 쉽게 시작할 수 있을 뿐만 아니라 플랫폼 독립적인 형태로 구성이 가능해 지고 있다. 이러한 변화의 채택을 보고 있는 분야 중 하나는 금융 서비스이다.

Web 3.0은 분산화 된 구조로 인해, 돈을 저장하고 접근하는 방법과 돈을 빌리거나 빌려주는 방식에서 큰 변화를 일으키고 있다.

Web 3.0 기반에서는 중앙은행이나 기타 금융기관이 돈을 보관할 필요가 없어 지게 되며, 블록체인 기술을 사용하여 분산된 방식으로 돈을 저장할 수 있게 되면서 전세계로 돈을 이체하는 것이 훨씬 쉬워지게 되고 중앙기관이 돈을 통제하는 것이 어려워지고 있다.

또 하나의 변화는 돈을 빌리거나 빌려주는 방식으로 기존에는 돈을 빌리려면 은행이나 다른 금융기관을 통해서 가능했으나, Web 3.0 기반에서는 중개자 없이 다른 사람 으로부터 직접 돈을 빌리거나 빌려 줄 수 있게 되면서 P2P 대출이나 차입의 새로운 경제를 만들어 가고 있다. 주식과 기타 자산을 거래하는 방식에도 영향을 미치면서 기존 주식 거래는 구매자와 판매자를 연결하하는 중앙 거래소를 통해 이루어졌다면, Web 3.0 기반에서는 이 프로세스가 블록체인의 스마트 계약을 사용하여 분산된 방식으로 처리되며, 중앙거래소를 거치지 않고 주식 및 기타 자산을 거래하는 것이 가능해진다.

	전통금융	DeFi
중개자	• 전통금융기관	• 블록체인
화폐 발생	• 중앙은행	• 블록체인
지리적 한계	• 있음	• 없음
자산 매매	• 증권 거래소	• 탈중앙화 거래소
투자 수단	• 주식, 채권	• 토큰화된 상품, 서비스

중앙 집중식이 아닌 분산화된 환경에서 금융서비스가 가능하도록 하는 것이 분산형 금융(Decentralized Finance, DeFi)라는 탈중앙화 시스템으로 블록체인을 사용하여 거래를 분산화된 장부에 기록하고 스마트 계약을 거래하는 서비스 형태로 암호화폐를 이용한 예금 대출, 송금, 투자 등 모든 금융 활동을 포함한다.

분산형 금융(DeFi)은 블록체인 상에서 신원확인 절차(KYC / AML) 없이 암호화폐를 가지고 스마트 컨트랙트를 통해 리스트를 없애고, 투명하고 탈중앙화된 방식을 금융서비스를 제공하며 암호화폐를 예치하고 담보 가치에

LTV(Lon to Value Ratio[1])을 적용한 금액 만큼 새로운 암호화폐를 대출해 주는 방식이다.

출처 : The Great Divide in Cryptocurrency, CeFi & DeFi, Medium.com , Coindesk

분산형 금융(DeFi)은 분산형 거래소(DEX), 대출 플랫폼, 이자 농사 프로토콜 등과 같은 다양한 구성요소로 구성된 복잡한 생태계이다.

중개 기관 없이 블록체인 기술을 기반으로 빌려주거나 빌리기 위해 파생 상품을 사용하여 자신의 가격 변동에 대해 추측하고 암호화폐를 거래하는 것부터 위험에 대비하고 저축과 유사한 방식으로 이자를 얻을 수 있는 프로세스이다.

1 담보대출 비율

분산형 금융(DeFi) 토큰은 서비스에 사용되고 사용자들은 DeFi 토큰을 통해 이자, 대출, 환전, 투자 등 다양한 금융 서비스를 이용 가능한 형태로 기존 금융기관에서 제공했던 대부분의 서비스가 가능하다.

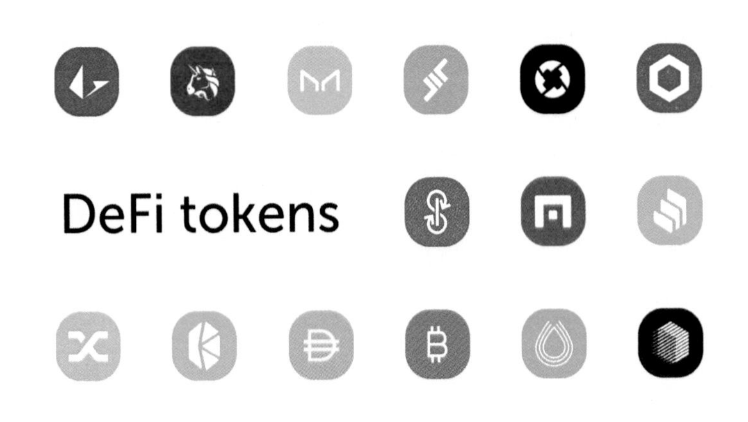

출처 : Ledger.com

분산형 금융(DeFi)은 스마트 컨트랙트를 활용한 탈중앙화 된 금융 플랫폼으로 모든 거래내역과 자금의 상황을 실시간으로 공개되는 형태로 모든 규칙과 서비스 내용이 전부 스마트 컨트랙트로 공개되는 구조이며, 발생하는 모든 트랜잭션은 블록체인 상에 기록되며 누구나 언제든지 정보에 접근 가능한 투명성을 가지고 있다.

스마트 컨트랙트 기반으로 처리된 트랜잭션은 즉각적인 효력이 발생하게 되며, 제 3 자에 의해 별도의 검증이나 정산 절차가 불필요하고 통상적인 국제간의 송금을 빠르게 처리할 수 있는 신속성을 가지고 있다.

분산화된 시스템으로 인해 각 금융기관이 별도로 운영하고 관리해야 하는 데이터베시스와 네트워크 유지 비용을 대폭 절감할 수 있으며, 공유한 리소스를 활용해 효율적안 서비스 운영이 가능한 효율성을 가지고 있다.

서비스를 제공하거나 이용하는데 아무런 허가 절차가 필요 없는 형태로 스마트 컨트랙트로 서비스를 개발할 수 있는 구조이며, 기본적인 네트워크와 인프라가 블록체인에 의해 제공됨으로 글로벌 서비스를 위한 인프라 투자 비용이 불필요할 뿐만 아니라 새로운 서비스 개발 시, 공개된 스마트 컨트랙트나 이미 존재하는 스마트 컨랙트를 활용하며, 빠른 개발이 가능하여 작은 자원 규모로 신속하고 혁신적인 서비스를 만들 수 있다.

분산형 금융(DeFi) 모델의 핵심은 주로 분산형 애플리케이션(Dapp)을 기반으로 하며, 개인에게 자신의 재정에 대해 통제권을 부여하는 것이며, 이러한 변화로 인해 금융시장의 진입 장벽을 효과적으로 낮추어 접근성을 높이는 것이다.

WEB 3.0 기반 분산형 금융의 이점

Web 3.0 은 사용자에게 더욱 간단하고 사용자 친화적인 온보딩 프로세스를 제공하며 분산형 네트워크를 활용함으로써, Web 3.0은 최종 사용자가 항상 온라인 데이터에 대한 완전한 소유권과 통제권을 갖도록 보장함으로 웹이 발전할 때 마다 데이터 저장에 따른 보안 문제를 제거함으로써 비즈니스에 대한 신뢰성이 더욱 높아진다.

Web 3.0의 가장 중요한 이점 중 하나는 사용자가 전세계 어디서나 가능한 많은 정보에 액세스할 수 있는 환경을 제공함으로 대출 개시 및 서비스, BNPL(Buy-Now-Pay-Later[2])을 통해 계정에서 사용 가능한 자금에 대한 데이터나 누군가의 신원을 확인할 수 있는 데이터에 액세스할 수 있어 접근성에 대한 이점이 있다.

Web 3.0을 통해 진화하는 고객의 요구와 기대를 더 나은 방식으로 이해할 수 있으며, Web 3.0의 구성 요소들을 활용하여 기업은 프로세스를 자동화하여 고객여정 매핑을 수행하고 리소스를 보다 효율적으로 할당하고 소비자 요구를 충족하여 더 나은 참여을 촉진할 수 있으며 지속적인 충성도를 장려하여 향상된 고객 여정의 경험을 제공할 수 있다.

Web 3.0 구성 요소 중에서 인공지능(AI), IoT(사물인터넷)과 블록체인

2 BNPL(Buy-Now-Pay-Later)은 구매 대금의 일부만 내고 나머지는 나눠서 지불하는 방

기술은 안전하고 투명한 거래를 보장할수 있어, Web 3.0을 통해 기업은 디지털 결제, 대출 개시와 서비스, BNPL, 디지털 대출 등에 대한 자동화와 안전한 P2P 거래를 통해 효율성을 높일 수 있다.

Web 3.0은 분산화로 인해 데이터가 분산 노드에 저장되므로 계정 정지나 분산 서비스 거부를 줄일 수 있으며, 서버 운영이나 서버 장애에 대한 관리비용을 줄일 수 있다.

WEB 3.0 기반 분산형 금융 핵심 요소

Web 3.0 기반으로 금융 영역은 분산화된 환경내에서 금융 서비스를 이용할 수 있는 형태이다. 전통적으로 금융 서비스는 은행계좌를 가진 사람들만이 이용할 수 있는 서비스 형태였으며, 신용도 확립부터 담보 제공까지 차입의 길을 장애물로 가득차 있는 환경이었다면, Web 3.0 구성 요소로 분산형 금융(DeFi)가 등장하면서 은행계좌가 필요하지 않게 되었으며 누구나 자신의 디지털 자산을 대출 담보로 활용할 수 있고, 대출 풀에 기여함으로써 자산에 대한 수익을 얻을 수 있게 되었다.

암호화폐 거래소는 암호화폐를 거래할 수 있도록 기능을 제공하며 중앙 집중화 되어 중개자 역할 뿐만 아니라 거래되는 자산의 관리인 역할도 수행하고 있지만, Web 3.0이 추구하는 분산화와 사용자가 자신의 자산에 대해 통제권을 유지하는 프로세스와는 다르며, 중앙 집중식 플랫폼은 해킹이나 악위적인 행위에 대한 위험에 직면할 경우, 피해를 발생시킬 수 있는 문제를 가지고 있다.

Web 3.0 기반 분산형 금융에서는 탈중앙화 거래소(DEX)를 기반으로 사용자가 관리권을 포기하지 않고 디지털 자산을 교환할 수 있으며, 분산화된 환경내에서 스마트 컨트랙트에 규정된 규칙에 따라 동작함으로 중앙 집중식 플랫폼이 필요는 없는 구조로 구성할 수 있다.

전통 금융에서 핵심 요소인 가치가 기초 자산과 연결된 계약인 파생상품은 Web 3.0 기반 분산형 금융에서도 중요한 요소로 파생상품을 기반으로 허가나 제한 없이 공개적으로 분산형 파생상품을 생성할 수 있다.

금융 분야에서 Web 3.0의 출현으로 누구나 펀드 매니저 역항르 맡아 자신의 필요에 맞는 투자 선택을 할 수 있는 시대가 열리게 되었으며, 투자 수익을 보장하기 위해 현금 흐름 관리를 포함하여 자산을 효과적으로 관리하는 것이 가능해지게 되었다. 그리고 Web 3.0 의 투명성을 통해 사용자는 자신의 자금이 어떻게 관리되고 있는지 재무 흐름을 쉽게 확인할 수 있다.

당사자간 무신뢰, 분산형 가치 이전을 가능하는데 있어 암호화폐가 수행하는 혁신적인 역할을 간과할 수 없으며, Web 3.0을 통해 금융 환경을 변화시키면서 새로운 결제 방법이 대두되고 있는데, 대부분의 P2P 거래는 강력한 보안, 접근성과 단순성으로 알려진 분산형 애플리케이션(Dapp)을 통해 처리된다. 이를 통해 위험 비용, 번거러움은 물론 현금 처리 시간까지 크게 절감할 수 있으며, 기업이 안전하고 확장 가능하며 자동화된 결제를 수행할 수 있도록 지원할 수 있다.

분산형 금융(DeFi)은 기존 보험 프로세스의 변화를 일으키고 있으며, 스마트 계약 위반, 프로토콜 공격, 다중 서명 지갑 문제 등 다양한 위험을 보장할 수 있다. 보험 계약자가 유효한 청구를 위해 손실을 입증해야 하는 기존 시장과 달리 분산형 금융(DeFi)은 매개변수 보험[3] 개념을 도입하였으며, 매개변수 보험을 규정된 정책 매개 번수가 충족되면 지급되는 것을 기반으로 구성되어 있어 사전 정의된 조건에 따라 자체 실행되는 분산형 금융(DeFi)의 스마트 계약을 사용하여 자동 처리되게 된다.

이러한 모델은 프로세스를 더 빠르고 효율적으로 만들 뿐만 아니라 사기 청구 가능성을 배제할 수 있어, 보험사와 보험 계약자를 개편하고 모두에게 혜택을 제공할 수 있다.

전통적인 비즈니스 관리와 유사한 방식으로 탈중앙화 자율조직(DAO)를 기반하에 거버넌스를 관리하고 거버넌스 토큰을 통해 사용자에게 프로토콜 로드맵에 대한 투표권과 영향력을 부여함으로써 거버넌스를 구축할 수 있다.

3 매개변수 보험은 간단한 매개변수들(Parameters)로 표현할 수 있는 사건이 일어나면 정해진 보험금이 지불되는 보험 계약

WEB 3.0 분산형 금융 프로토콜 유형

Web 3.0 기반 분산형 금융(DeFi)는 다양한 유형의 프로토콜인 탈중앙화 거래소(DEX), 대출 플랫폼(Lending). 브릿지(Bridge), 부채담보 포지션 (Collaterlized Debt Position, CDP), 유동성 스테이킹(Liquid Staking)으로 구성되어 있다.

첫번째로 분산형 금융(DeFi) 서비스가 운영될 수 있는 공간인 탈중앙화 거래소(Decentralized Exchange, DEX)는 투자자가 중개자 없이 디지털 자산을 스마트 컨트랙트를 통해 거래할 수 있는 곳이다.

탈중앙화 거래소 (DEX)는 중앙화된 거래소를 통해 거래하는 것이 아니라 코드로 만들어진 스마트 컨트랙트에서 자동으로 자산을 교환하거나 거래할 수 있으며, 대표적인 탈중앙화 거래소(DEX)에는 스테이블 코인에 중점을 둔 분산형 거래소로 사용자가 낮은 슬리피지로 다양한 스테이블 코인 간에 거래할 수 있는 커브(Curve), 1세대 탈중앙화 거래소인 유니스왑(Uniswap), 바이낸스 체인 계열의 토큰을 교환 가능한 팬케이크스왑(PancakeSwap), 기존의 탈중앙화 거래소(DEX)에서 업그레이된 버전인 발랜서(Balancer), 트론 계열의 대표적인 탈중앙화 거래소인 썬(Sun) 등이 있다.

두번째로 프로토콜 유형에는 대출 플랫폼(Lending)이라는 사용자가 보유한 디지털 자산을 예치하고 대출해 주는 플랫폼을 대표적인 대출 플랫폼은 사용자가 보유하고 있는 암호화폐에 대한 이자를 얻을 수 있는 분산형 대출 플랫폼인 아베(AAVE), 알고리즘을 기반으로 자율적으로 작동하는 대출 플랫폼인 컴파운드(Compound), 이자 농사 및 유동성 채굴과 같은 추가 기능을 제공하는 유니스왑(Uniswap), 포크 버전인 스시스왑 카시(Sushiswap Kashi) 등이 있다.

세번째로 프로토콜 유형에는 브릿지(Bridge)는 서로 다른 체인 간에 자산을 이동할 수 있게 도와주는 스마트 컨트랙트이다. 대표적인 브릿지는 이더리움 계열의 WBTC로 비트코인을 이더리움 체인으로 이동할 수 있으며, 비트코인에서 자산을 동결하고 이더리움 체인에서 스마트 컨트랙트를 활용하여 WBTC라는 토큰으로 발행한다.

네번째로 프로토콜 유형에는 부채 담보 포지션(CDP)으로 대출의 한 종류로 디지털 자산을 담보로 하여 스테이블 코인을 만들고 유지하고 관리한다. 가장 대표적인 CDP는 메이커다오(MakerDAO)로 이더리움 기반의 스테이블 코인인 다이(DAI)를 만들어 유지하고 있으며, 사용자가 이더리움을 메이커다오(MakerDAO) 스마트 컨트랙트에 예치하면, 예치된 담보를 기반으로 다이(DAI)를 발행하고 1달러 가치로 유지시키는 방식이다.

다섯번째로 프로토콜 유형에는 유동성 스테이킹(Liquid Staking)으로 지분 증명 방식(Proof of Stake, PoS) 합의 매커니즘의 스테이킹된 자산의 유동성

제한을 해결하기 위해서 나온 것으로 기본적으로 지분증명 합의 알고리즘에서 스테이킹 된 자산은 락업(Lock-up)기간 동안 자산을 활용할 수 없다.

WEB 3.0 기반 분산형 금융 기능

Web 3.0 기반 분산형 금융(DeFi)에서 제공되는 기능 중에서 대표적인 것은 스테이킹(Staking)이라는 유형으로 저축과 유사한 개념으로 사용자가 가진 암호화폐를 블록체인 네트워크 운영에 활용할 수 있도록 예치하고 그 대가로 수익을 보상 받는 서비스이다.

스테이킹(Staking)은 지분이라는 뜻의 의미를 가진 스테이크(Stake)에서 비롯된 개념으로 자신이 보유한 가상화폐를 블록체인 거버넌스 모델에 위임해 일정기간 동안 거래되지 않도록 하면서 대가를 받는 프로세스이다.

스테이킹(Staking)은 보유하고 있는 가상화폐를 맡기고 보상을 받은 측면에서 정기예금과 비슷한 형태이다. 은행 예금처럼 암호화폐를 맡기면 이자를 지급하는 방식으로 통상 예치는 기간이 정해져 있고, 이율이 정책인 반면에 스테이킹(Staking)은 대체로 변동 이율이며 자산을 넣고 빼는 것이 자유로운 구조이다. 예치 상품의 이자는 예치 서비스 사업자가 대차 혹은 차익 거래를 통해 이자를 충당하게 되고 블록체인 네트워크에서 고객이 암호화폐를 맡긴 대가로 지급되는 것이 스테이킹 이자이다.

스테이킹(Staking)을 하면 이 상태를 락업(Lock-up) 상태라고 하며 스테이킹을 통해 암호화폐를 통해 암호화폐를 보상으로 받을 수 있는 형태로 스테이킹은 순수한 정기예금 보다 훨씬 위험하며, 한번 암호화폐를 맡기면 일정기간 동안 락업(Lock-up)이 되어 중간 인출이 어려운 구조이다. 만약 락업기간 동안 가상화폐의 가치가 떨어지게 되면 큰 손실을 볼 수 있다.

스테이킹의 대표적인 플랫폼으로는 이오스, 코스모스, 테조스 등이 스테이킹 서비스를 지원하고 있다.

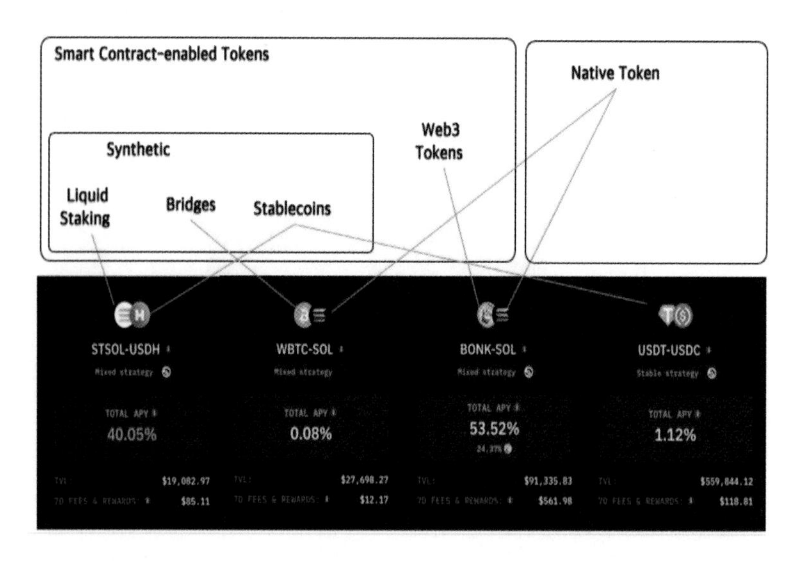

출처 : 2023 UZH, CSG@Ifl

스테이킹 유형 중에는 유동성 스테이킹(Liquid Staking) 프로토콜은 사용자를 대신해 암호화폐를 스테이킹 하는 방식으로, 사용자에게 예치된 암호화폐를 나타내는 토큰을 발행하고 분산형 금융 애플리케이션에서 사용 할 수 있기 때문에 사용자는 유동성 스테이킹 프로토콜을 통해 코인을 스테이팅하는 동시에 다른 애플리케이션에서 사용할 수 있다.

유동성 스테이킹은 지분 증명(PoS) 혹은 위임지분증명(DPoS) 합의 알고리즘에서만 작동하는 구조로 기존의 스테이킹 보다 활성화 되고 있으며, 바이낸스에 따르면 2023년 반기보고서에서 유동 스테이킹은 탈중앙화 거래소(DEX)를 제치고 DeFi 환경에서 24% 시장 점유율을 차지하면서 급속도로 성장하고 있다.

점차 다양한 네트워크에서 기본 분산형 금융(DeFi) 플랫폼이 적용되고 있으며, 리도(Lido)나 로켓풀(Rocket Pool)과 같은 유동성 스테이킹 솔루션이 탈중앙화 거래소(DEX) 보다 더 많은 예치 금액(TVL)을 보유하고 있다.(2023.05)

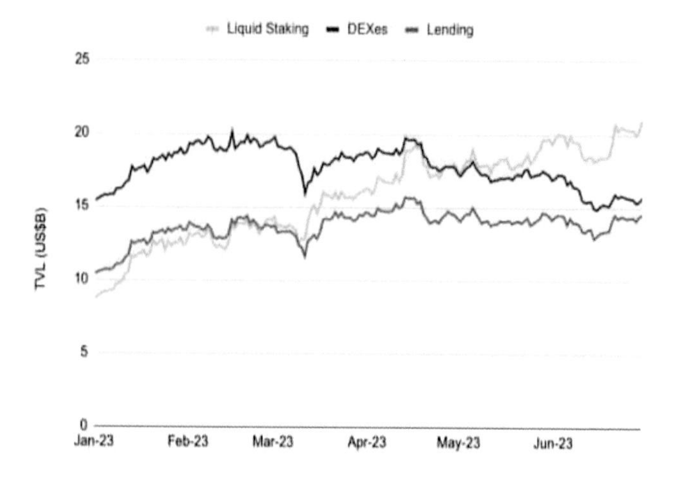

출처 : Binance

유동성 스테이킹은 사용자들이 스테이킹한 자산을 예치하지 않고도 유동성을 사용할 수 있도록 하는 것으로, 기존의 분산형 금융(DeFi)와 달리 자신의 자산을 스테이킹 하지 않아도 블록체인에서 지원하는 방식으로 유동성을 제공하면서 보상을 받을 수 있다.

대표적인 유동성 스테이킹인 리도(Lido)는 이더리움 2.0의 스테이킹 프로토콜로 탈중앙화 하고 스테이킹 보상을 지원하는 대표적인 프로젝트로 사용자들은 이더리움 네트워크에 리도(Lido)를 예치하고 보상을 받은 후에 사용자들에게 해당 보상을 분배하는 방식이다.

로켓풀(Rocket Pool, RPI)은 탈중앙화된 이더리움 2.0 스테이킹 플랫폼으로, 사용자들은 로켓풀에서 이더리움을 예치하여 이더리움 2.0 네트워크에 참여하고 보상을 받을 수 있다. 이러디움을 다양한 스테이킹 노드로 분산시키는 RPI는 스테이킹 보상을 지원하며, 해당 토큰을 사용하여 프로토콜을 운영하고 거버넌스에 참여할 수 있는 방식이다.

WEB 3.0 기반 분산형 금융 파생 기능

Web 3.0 기반 분산형 금융(DeFi)은 디지털 자산을 기반으로 금융기관이 제공하고 있는 금융 서비스와 같은 서비스를 제공하는 형태로, 이러한 서비스를 탈중앙화 거래소(DEX)를 통해서 운영되는 방식 외에도 Web 3.0 구성 요소와 연동되어 새로운 서비스와 분산형 금융(DeFi)의 활용 영역을 확장하고 있다.

WEB 3.0 기반 분산형 금융 파생 기능 – MetaPi

Web 3.0 구성 요소인 메타버스와 연동되는 분산형 금융(DeFi) 파생 기능인 메타파이(DeFi for the Metaverse, MetaFi)로 Meta와 DeFi를 의미하는 Fi의 합성어로, 소셜 미디어, 게임과 메타버스에서 상호 운영성을 향상시키는데 도움이 되는 표준을 만들기 위해 2022년 초 바이낸스(Binance)에 의해 처음 소개되었다. MetaFi는 메타버스, DeFi, GameFi, SocialFi, Web 3.0의 NFT와 같은 모든 다른 유형의 프로젝트를 결합하는 형태이며, 자산 소유권을 설명하는 메타데이터를 통해 이를 가능하게 한다.

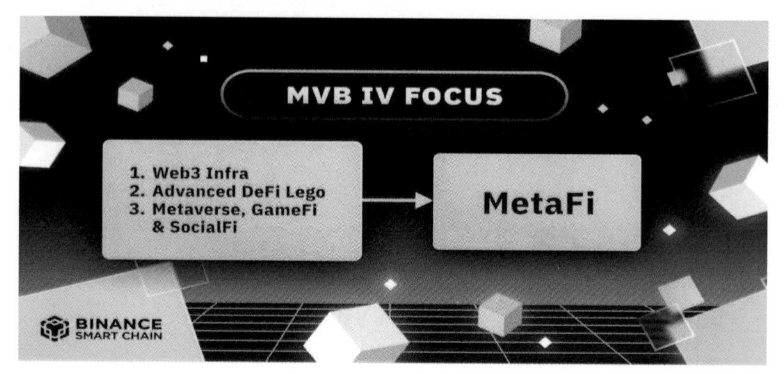

출처 : Binance

메타파이(MetaFi)는 대체 불가능한 토큰과 대체 가능한 토큰간의 복잡한 금융 상호작용을 가능하게 하는 프로토콜로 MetaFi를 통해 개인은 분산형 금융(DeFi) 대출 플랫폼에서 NFT의 일부를 담보로 사용할 수 있으며, 탈중앙화된 자율조직(DAO)와 같은 새로운 형태의 커뮤니티 거버넌스와 결합된 대체 불가능한 토큰과 대체 가능한 토큰의 혼합을 통해 메타버스에 통합되는 형태이다.

메타파이(MetaFi)는 가상세계가 쉽게 통신할 수 있도록 정의된 메타데이터 표준을 갖춘 인프라를 제공하며, 상호 운용성을 개선하기 위해 블록체인의 자산에 대한 메타데이터를 관리함으로 인해, 많은 플랫폼과 상호 운용이 가능하며 다양한 메타버스 플랫폼과 블록체인에서 사용되는 메타데이터 표준으로 인해 상호 운용이 가능하게 된다.

블록체인에서 사용할 수 있는 메타데이터 표준이 만들어지면 자산을 조회하고 정렬할수 있으며, 모든 블록체인에 통일된 메타데이터 표준이 있는 경우 각 블록체인은 메타데이터를 표시할 수 있다.

메타파이(MetaFi)는 디지털 자산을 기반으로 정의된 메타데이터 매개변수를 기반으로 특별한 생태계를 개발하고 육성하여 Web 3.0과 블록체인 기술의 대량 채택을 목표로 하고 있으며, 전세계 사용자가 블록체인을 사용하는데 도움이 되는 완전한 기능의 병렬 생태계를 만들 수 있다.

WEB 3.0 기반 분산형 금융 파생 기능 - GameFi

Web 3.0 구성 요소 중에 게임과 연동되는 파생 기능인 게임파이(GameFi)는 게임과 금융을 조합한 용어로, 게임을 플레이하면서 보상으로 토큰을 받을 수 있는 블록체인 기술이 지원하는 금융 요소를 통합한 게임이다.

출처 : Nodanomics

일반 비디오 게임은 게임 제작업체가 모든 권리를 소유하고 있으며, 플레이어는 게임 내에서 얻을 수 있는 아이템을 게임 상에서만 소유할 수 있지만, 수익을 얻을 수 있는 방법이 없다.

전통적인 게임은 온라인으로 게임 기능에 엑세스 하기 위해 비용을 지불하는 방식으로 결제를 한 후에도 게임 내 가상 도구나 개체를 구입해야 하며, 다양한 게임 내 캐릭터를 업그레이드하기 위해 비용을 지불해야 한다. 하지만, 게임파이(GameFi)는 플레이어가 작업을 완료하거나 다른 플레이어와 경쟁하거나 게임의 레벨을 통해 게임 밖에서도 가치 있는 아이템을 얻을 수 있다.

이러한 게임파이(GameFi)의 모델은 P2E(Play-to-Earn) 이라는 형태로 플레이어가 게임과 현실 모두에서 가치 있는 보상을 받을 수 있도록 하는 분산형 블록체인 게임 생태계이다. 이와 같은 모델이 처음으로 도입한 사례가 2021년 여름에 출시된 엑시 인피니티(Axie Infinity)가 대표적이며, 높은 수익률로 엄청난 인기를 얻으며 블록체인 게임 시장 전체에 열풍을 일으켰다.

게임파이(GameFi)에서는 플레이어가 게임 내 자산에 대한 소유권을 가지며, 게임 내 자산을 자유롭게 구매, 판매, 거래할 수 있도록 하여 수익 창출의 가능서을 제공한다.

게임 내에서 단계를 완료하거나 전투에 승리한 것에 대해 플레이어에게 보상을 제공하도록 선택할 수 있으며, 일부 게임은 게임에서 획득한 자산에서 무기, 의상, 아바타, 화장품, 암호화폐 등 다양한 형태로 보상을 받을 수 있다. 게임을 통해서 얻은 자산을 가상 게임 세계에서 실제 세계로 전송할 수 있으며, NFT 마켓플레이스에서 변환하거나 판매할 수 있다.

게임파이(GameFi)를 기반으로 하는 Web 3.0 게임은 경제 매커니즘이 도입되어 자체적인 경제 시스템을 가지고 있으며, 게임 내 고유 자산은 NFT와 밀접한 연관성이 있는 형태이다.

NFT를 사용하여 플레이어에게 고유한 게임 내 자산에 대한 검증 가능한 소유권을 제공하는 것은 게임파이(GameFi)의 핵심이며, 이러한 자산에는 가상 토지부터 캐릭터 스킨 및 장비까지 모든 것이 포함될 수 있다.

게임파이(GameFi)의 NFT는 플레이어가 소유하며, 게임 외부에서 구매, 판매 또는 거래될 수 있다.

게임파이(GameFi)의 구성 요소에는 Web 3.0 구성 요소인 블록체인 인프라를 기반으로 구성되어 있으며, 대부분의 게임은 이더리움 네트워크를 기반으로 하고 있지만, 트랜잭션 속도와 이점으로 인해 폴리곤(Plygon), 솔라나(Solana)에 대한 활용도가 높아지고 있다.

게임에서 엔티티는 플레이로 얻은 아이템으로, 플레이어의 고유한 소유권을 보장하기 위해 대체 불가능한 토큰(NFT)를 활용하여 복제하거나 위조할 수 없도록 하며, 게임 상에서 미션과 퀘스트를 완료하거나 적과 싸우면서 보상으로 토큰을 얻거나 NFT 기반의 아이템을 획득하여 게임 내의 마켓플레이스나 2차 시장에서 거래를 통해 수익을 얻을 수 있다.

이러한 환경을 구성하도록 지원하는 것이 바로 블록체인 기반의 탈중앙화 금융으로 가능하다.

플레이어가 토큰을 쌓거나 게임 내 자산을 임대하는 방식과 스마트 계약에 예치(스테이킹) 하는 대가로 부가적인 수익과 게임내 아이템을 획득할 수 있음으로 인해, 플레이어가 실제 수입을 얻을 수 있는 기회를 제공함에 따라 엑시 인피니티(Axie Infinity) 게임 같은 경우에는 경제적 어려움과 낮은 임금 속에서 필리핀의 많은 플레이어에게 실제적인 주요 수입원이 되었다.

플레이어가 실제 수입을 얻을 수 있다는 것은 게임파이(GameFi)의 가장 매력적인 측면으로 게임에서 소비한 시간과 기술로 수익을 창출할 수 있으며, 플레이어가 게임만으로도 생활 임금을 벌 수 있는 방법을 열어주는 기회가 되었다.

게임파이(GameFi)의 다른 중요한 측면은 탈중앙화 자율조직(DAO)와 커뮤니티 거버넌스 모델의 통합이다. 플레이어는 게임 개발과 의사결정 프로세스에서 발언권을 가질 수 있으며, 탈중앙화 자율조직(DAO)를 통해 토큰 보유자는 업데이트, 규칙 변경, 리소스 할당 등과 같은 게임의 다양한 측면에 대해 투표할 수 있으며, 이러한 민주적 접근 방식은 플레이어가 게임의 미래를 형성하는데 직접 참여하는 투명한 게임 환경을 보장한다.

게임파이(GameFi)는 기존 게임 보다 고품질의 자율 거래 경험을 제공하고, 새로운 가치와 경험을 창출할 수 있는 기회이며, Web 3.0 게임의 토큰 기반 거버넌스는 플레이어가 게임 캐릭터, 자산, 아이템을 완전히 제어할 수 있기 때문에 플레이어가 투표를 통해 게임을 최적화하고 업그레이드 할 수 있다.

Web 3.0 구성 요소인 인공지능(AI) 기술이 발전함에 따라 더욱 정교하고 몰입감 넘치는 게임파이(GameFi)의 경험을 기대할 수 있으며, 이러한 기술을 통해서 플레이어의 행동에 다라 발전하는 역동적인 경제를 가능하게 하여 더욱 매력적이고 예측할 수 없는 새로운 게임 경험을 창출할 수 있을 것이다.

WEB 3.0 기반 분산형 금융 파생 기능 - NFTFi

Web 3.0 구성 요소 중에 NFT와 연동되는 분산형 금융(DeFi) 파생 기능인 NFTFi는 대체 불가능한 토큰인 NFT(Non-Fungible Token)과 분산형 금융(DeFi)을 합친 개념이다. NFT 시장 참여자에게 분산형 금융 서비스를 제공하는 것을 목표로 하며, 시장의 추가 가치, 기회 및 유동성을 확보할 수 있는 새로운 개념이며, Web 3.0 구성 요소 중 하나인 게임과 메타버스에 많이 활용되고 있으며, 점차 그 영역이 확장되면서 NFT의 시장 활성화에 큰 도움이 될 것으로 보고 있다.

NFTFi는 분산형 금융(DeFi)와 NFT의 결합으로 점점 더 많은 관심과 개발 노력을 불러일으키고 있으며, 분산형 금융(DeFi)에서 제공하는 기능을 기반으로 암호화폐가 아닌 NFT를 대상으로 하여 서비스를 제공한다.

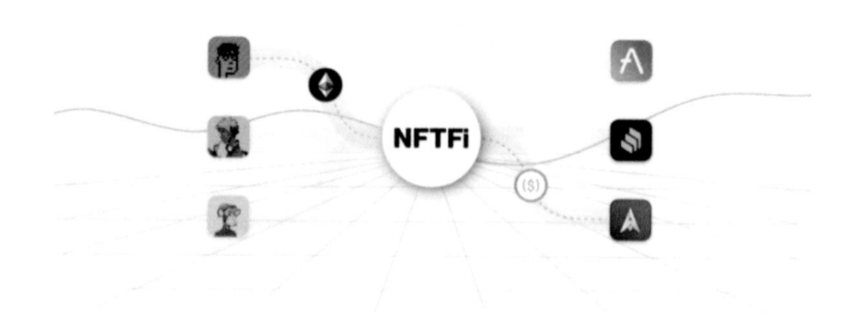

출처 : Ethereum, Chainslab

NFTFi는 NFT 소유자가 자산을 Web 3.0 지갑에 그냥 보관하고 있는게 아니라, 소유하고 있는 NFT를 통해 수익을 얻을 수 있도록 하는 것으로, NFT 보유자가 보유 자산을 현금으로 쉽게 전환하고 소규모나 소매 투자자에게 투자 기회를 제공할 수 있는 유동성 풀과 분할 프로토콜 생성과 같은 분산형 금융(DeFi) 프로세스에 맞게 NFT를 조정하는데 중점을 두고 있다.

NFT는 블록체인 네트워크에 존재한느 고유한 디지털 서명 자산으로 현재 분산되고 신뢰할 수 없는 방식으로 대출이나 차입 거래를 촉진하는데 사용되고 있으며, 대출과 차용에 NFT를 사용하면, 보안과 투명성, 접근성 그리고 유동성에 이점을 제공할 수 있다.

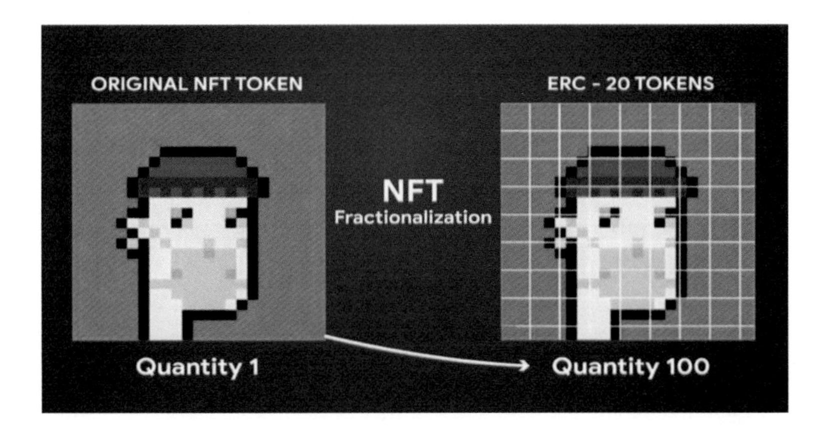

출처 : Ethereum, Chainslab

NFTFI 기능 - 대출

NFT는 대출 담보로 사용될 수 있어, 차용인이 전통적인 방법을 사용할 수 없을 대, 자금을 확보할 수 있도록 하는 동시에 대출자에게는 새로운 투자 기회를 제공한다.

NFTFi에서는 스마트 계약을 활용하여 NFT 기반 대출과 대출 프로토콜에서 이자율, 상환 일정과 담보 요구사항을 포함한 대출 조건을 관리하는데 사용된다. 프로토콜에서 이자율, 상환 일정과 담보 요구사항을 포함한 대출 조건을 관리하는데 사용되고 NFT를 사용하여 안전하게 익명으로 암호화폐 대출을 받을 수 있다. NFT 보유자는 대출 기관이 제공하는 대출과 교환하여 NFT를 담보로 wETH, USDC나 다이(DAI)를 빌릴 수 있으며, 모든 대출에는 자동 청산 없이 고정기간이 적용된다.

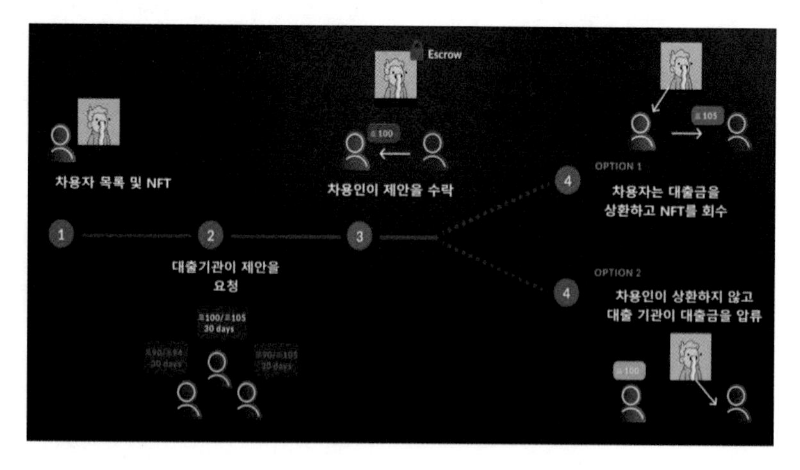

출처 : nftfi.com

NFT 대출은 차용자와 대출자가 매칭되는 NFT 대출 플랫폼에서 이루어지는 구조로 대출기관이 선택되면, NFT는 대출 기간 동안 블록체인의 에스크로(Escrow[4]) 스마트 계약에 보관되는 디지털 금고로 전송되고 대출금은 차용자에게 이전되고 대출자는 대출금에 대한 이자를 받을 수 있다.

차용인은 두사람이 계약에 동의한 해당 대출 금액을 상환해야 하며, 대출금이 대출 만료일에 지불되지 않으면(불이행), NFT는 대출 기관에 전송되어 대출자에게 제공하는 방식으로 처리된다.

NFTFI 기능 - 임대 (렌탈)

NFTFi 에서는 수수료를 대가로 일정 기간 동안 NFT의 소유권을 일시적으로 다른 사람에게 양도할 수 있는 렌탈 기능을 제공한다.

NFT 소유자는 보유자산을 영구적으로 판매하지 않고도 수익을 창출할 수 있으며, NFT를 구매할 자금이 없는 사용자에게 NFT를 사용하고 혜택을 누릴 수 있는 기회를 제공한다. NFT 임대는 NFT 제작자가 자신의 창작물을 일정 기간 동안 임대하여 영구적으로 판매하지 않고도 작품에서 수익을 창출할 수 있기 때문에, 자신의 작품으로 수익을 창출 할 수 있는 새로운 길을 제공할 수 있다.

4 에스크로(Escrow)는 구매자의 구매확인 의사를 통보 받은 후, 판매자에게 결제대금을 지급하는 안전한 결제 서비스

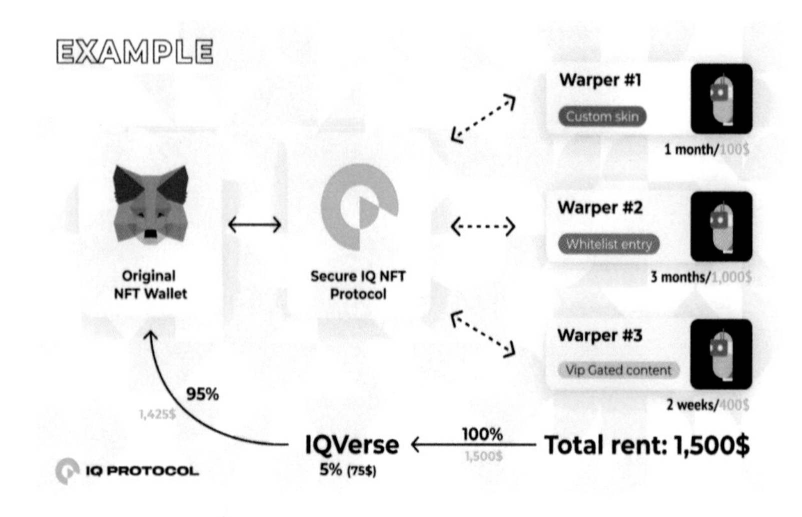

출처 : Mighty Block

NFT 렌탈(대여)는 NFT 소유자가 디지털 자산을 다양한 목적하에 일시적으로 사용할 수 있도록 임대하는 것으로, NFT 소유자는 임대 기간이 완료된 후에 임차인이 소유권을 반환할 수 있도록 일부 담보 또는 조건과 함께 NFT의 소유권을 임차인에게 이전하는 방식이다.

NFT가 임대되면 원래 소유자는 이를 통제할 수 없음으로 많은 잠재적 위험이 존재하긴 하지만, 이를 보완하기 위한 다양한 기술 스펙들이 나오고 있어, 보다 더 안전한 환경 내에서 서비스를 이용 할 수 있을 것이다.

NFT 렌탈은 Web 3.0 게임에서 새로운 기회를 제공하는 매개체 역할을 하고 있으며, 게임 내 이벤트에 참여할 수 있는 NFT 대여 방식이나 캐릭터를 더 빠르게 레벨업 시키는 방법으로 필요한 NFT를 임대하고 이를 다른 NFT나 리소스와 결합하는 방식에 적용되고 있다.

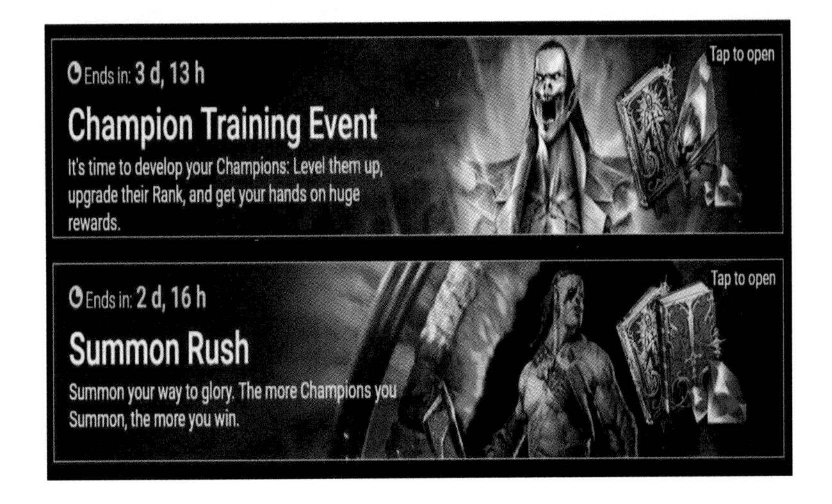

출처 : nftfi.com

이와 더불어 특별한 임무를 달성하기 위한 NFT를 대여하는 방식으로 사용자가 미션을 완수하기 위한 자산이 없는 경우, 필요한 NFT를 임대하여 미션을 완수할 수 있으며, PVP 토너먼트 우승 확률을 높이고 다른 참가자 보다 우위를 차지하기 위해서 NFT를 대여하는 방식으로 게임 내에서 점차 그 영역을 넓혀 가고 있다.

출처 : nftfi.com

WEB 3.0 기반 분산형 금융 파생 기능 – ReFi

리파이(Regerative Finance, ReFi)는 재생금융이라는 의미로 금융 시스템을 생태학적, 사회적 복지와 조화시키기 위해 경제 환경을 재구성하는 것을 목표로 하는 급성장하는 분산형 금융(DeFi)의 파생 기능이다.

리파이(ReFi)는 john Fullerton 이 대중화하고 herman Daly의 생태경제학 연구를 기반으로 하고 있으며, 기본 전제는 시스템적인 문제를 해결하려면, 현재의 추출 시스템에서 벗어나 경제 성장의 필요성과 환경 재생의 필요성 사이의 균형을 맞추는 시스템으로 전환해야 한다는 것이다.

출처 : ReFi DAo, The State of ReFi

분산형 금융 개념에 기반해 재생이라는 가치를 더한 것으로 지속 가능한 금융 모델을 고민하고 기후 변화문제를 해결하는 접근 방법을 찾는 것이며, 소득 불평등에 맞서 싸우거나 경제적 불이익의 문제를 해결하고, 불투명하며 비효율적인 탄소 시장에 대한 분산형 대안을 제공한다. 소규모 생태 경제 프로젝트를 지원하기 위한 자금을 모집하고 생태 자산의 가치를 뒷받침하는 새로운 화폐를 발행하며, 재상과 수익의 균형을 맞추는 재생 투자 상품을 제공한다.

리파이(ReFi)는 전세계적으로 확장할 수 있는 솔루션을 구축하는 대신 지역 문제를 먼저 해결하려는 경향이 있으며, 자금 조달이나 개인, 그리고 지역사회에 직접 분배될 때 가장 효과적이다. 기본적으로 리파이(ReFi)는 분산형 서비스와 재무 거버넌스 매커니즘을 통해 소스에서 최종 사용자까지 자금 및 인센티브 흐름을 촉진하며 재생 관행에서 재정적 가치를 도출할 수 있는 데이터 기반 도구를 최종 사용자에게 제공하고, 토큰화된 생태 자산을 기반으로 하는 새로운 통화나 투자 수단의 발행을 지원한다.

Web 3.0 기술의 성장을 기반으로 실제 서비스에 통합하기가 적합한 환경을 구축할 수 있으며, 신속하게 시작 및 실행하고 테스트를 진행하여 현장에서 변화하는 역학에 신속하게 적응할 수 있다.

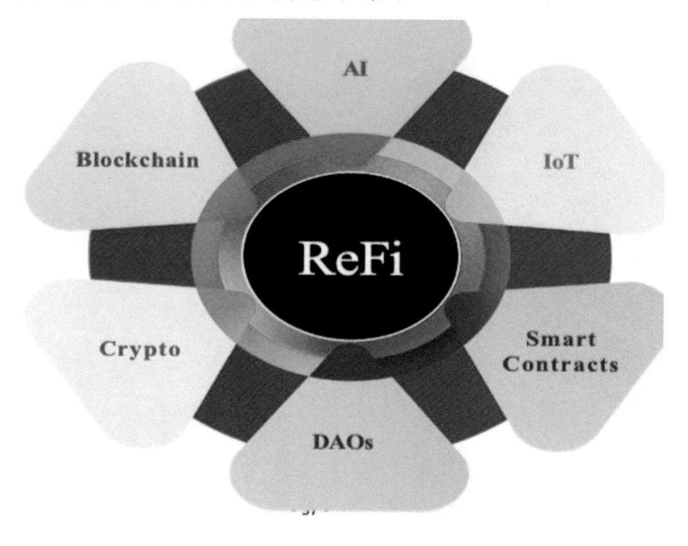

출처 : ReFi DAo, The State of ReFi

리파이(ReFi)는 Web 3.0 구성 요소인 블록체인, 암호화폐, 스마트 계약, 탈중앙화 자율조직(DAO)과 다른 최신 기수과 결합하여 시스템적 문제를 해결하는 솔루션을 구축한다.

리파이(ReFi) 솔루션은 Web 3.0 구성 요소 이외에 AI, 모바일 결제 네트워크, 센서 등 기존 기술을 통합하여 유용성을 극대화는 경우가 많다.

재생 원리를 기반으로 구축된 리파이(ReFi)의 좋은 예로는 재생 에너지 크레딧 판매로 얻은 수입을 공장 운영을 통해 이미 얻은 이익 이상의 이익으로 챙기는 대신 주변 지역 사회를 개선하는데 사용하는 태양광 발전소이다.

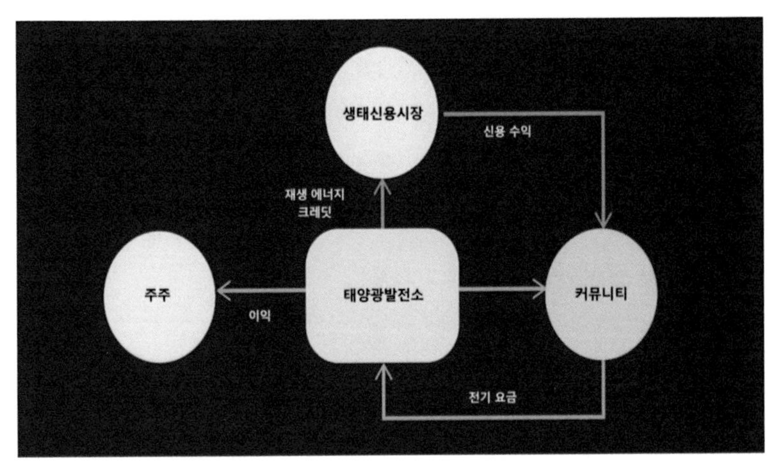

출처 : ReFi DAo, The State of ReFi

리파이(ReFi)는 지속 가능한 경제를 만들기 위해 블록체인 기술을 활용하여 탄소 배출권에 대한 흐름을 추적하고 변경 불가능한 시스템으로 사용할 수 있으며, 분산형 금융(DeFi)를 기반으로 자금을 모집하기 위해 가격 변동성이 큰 암호화폐 보다는 스테이블 토큰을 발행하고, 탈중앙화 자율조직을 기반으로 효율적인 운영을 할 수 있도록 구성할 수 있다.

WEB 3.0 기반 분산형 금융 고려 사항

Web 3.0 기반 분산형 금융(DeFi) 구축을 위한 고려 사항으로는 견고한 개념과 명확한 사용 사례를 기반으로 플랫폼의 목적과 플랫폼이 해결하는 문제를 정의해야 한다. 명확한 사용 사례는 개발 프로세스의 추진 방향을 알 수 있을 뿐만 아니라 플랫폼의 가치를 잠재 사용자와 투자자에게 전달하는데 도움이 될 수 있다.

확장성과 보안 및 상호 운용성을 보장하는 적합한 블록체인 인프라와 확장 가능한 기술 스택을 선정해야 하며, 이더리움, 바이낸스, 스마트 체인이나 기타 블록체인 등 플랫폼의 목표와 사용자의 요구 사항에 부합하는지 여부를 확인해야 한다.

스마트 계약은 모든 분산형 금융(DeFi) 플랫폼의 중추적인 역할을 담당하고 있어, 안전하고 효율적이며 업그레이드 가능한 스마트 계약을 작성하려면, 숙련된 개발자가 필요하며 스마트 계약에 대한 엄격한 테스트와 감사는 플랫폼의 보안과 사용자의 신뢰를 보장할 수 있으므로, 철저한 테스트 절차와 감사 프로세스를 구축해야 한다.

사용자에게 사용자 여정을 단순화하는 직관적이고 원활한 사용자 친화적인 인터페이스를 디자인해야 사용자가 쉽게 접근하고 활용할 수 있는 환경은 사용자를 유지할 수 있는 좋은 방법이다.

Web 3.0 기반 분산형 금융(DeFi) 서비스를 운영하려는 지역의 규제 환경에 대한 최신 정보를 얻는 것이 중요하며, 사용자 자산과 데이터를 보호하기 위해 암호화, 다단계 인증, 정기 보안 감사 등 강력한 보안 조치를 위한 환경과 프로세스를 구축해야 한다.

분산형 금융(DeFi) 서비스를 운영하는 플랫폼을 중심으로 강력한 커뮤 니티를 구축하여 거버넌스 토큰이나 탈중앙화 자율 조직(DAO)을 통해 사용자와 소통하고 피드백 수집 및 의사결정 과정에 사용자를 참여시켜 사용자의 충성도를 향상 시킬 수 있음으로, 서비스의 운영 과정의 투명성 확보와 서비스가 활성화되어 가장 큰 자산이 될 수 있다.

Web 3.0 기반의 분산형 금융(DeFi) 개발 과정은 총 4단계로 구성되어 있다.

첫번째 단계로 철저한 시장 조사를 수행하여 격차와 기회를 파악하고 가치 제안을 개발하여 플랫폼의 특징과 기능을 계획한다.

두번째 단계로 플랫폼의 기술 아키텍처 개요를 정의하고 사용할 블록체인 인프라, 프로그래밍 언어와 프레임워크를 결정하여 스마트 계약과 플랫폼의 다양한 구성 요소간의 상호 작용을 설계한다.

세번째 단계로 개발 프로세스를 시작하면서 코딩 모범 사례를 따르고 모든 단계에서 철저한 테스트를 수행하고 스마트 계약 테스트와 보안 감사는 취약점과 잠재적인 악용을 방지하는데 특히 중요하다.

네번째 단계로 MVP[5]로 플랫폼을 출시하고 사용자 피드백을 수집하여, 수집된 피드백과 시장 동향을 기반으로 지속적으로 반영하여 모든 문제를 즉시 해결할 수 있는 강력한 지원 시스템이 구축되었는지 확인해야한다.

고품질 분산형 금융(DeFi) 플랫폼을 구축하려면 기술적 전문성과 사용자 중심 설계, 금융 환경에 대한 깊은 이해가 조화를 이루어야 하며, 지속적인 학습과 혁신, 적응이 수반되는 작업이 필요하다.

그리고 보안, 사용자 경험, 투명한 관행에 중점을 둠으로써 현재 시장의 요구 사항을 충족할 뿐만 아니라, 미래 금융 혁신을 위한 기반을 마련하는 분산형 금융(DeFi) 플랫폼을 구축할 수 있다.

Web 3.0 기반의 분산형 금융(DeFi)은 암호화폐 및 NFT와 같은 디지털 자산을 기반으로 분산화된 금융 서비스와 생태계 구축을 가능하게 하는 혁신적인 구성 요소로서, 게임이나 메타버스 영역 뿐만 아니라 다양한 영역과 조건에서 점차 그 영역을 넓혀 가고 있다.

5 MVP는 최소 실행 가능한 제품

제 10 장

Web 3.0 기반 토큰화(RWA)

Web 3.0 기반 실물자산 토큰화(RWA) 178
실물자산 토큰화 이점 182
실물자산 토큰화 기술 영역 188

제 10 장 Web 3.0 기반 토큰화 (RWA)

토큰화는 자산을 블록체인 원장(데이터베이스)에 저장하는 것으로 실물자산의 토 (Real-Wrold Assets, RWA)는 블록체인 기술을 활용하여 국채, 채권, 주식 등 세계의 모든 자산의 디지털 사본을 생성하는 프로세스이다.

토큰화는 물리적 자산이나 금융상품의 권리를 블록체인의 디지털 토큰으로 전화 것으로 신용자산 관리에 새로운 수준의 효율성과 효과를 제공할 수 있으며, 결제 단축이나 결합 가능한 금융 상품, 이전에는 불가능했던 차용자와 대출자를 연결 상품에 적용 가능하다.

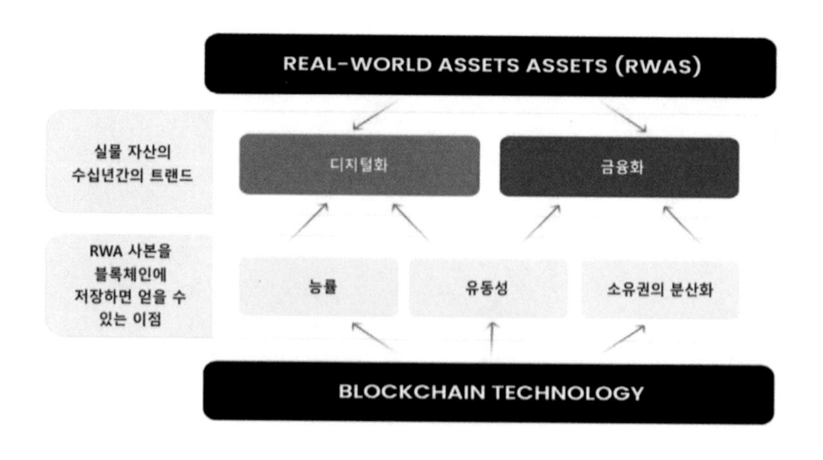

출처 : Outlier Ventures, Beyond the Hype of Real World Assets, Firblocks

실물 자산 토큰화(RWA)는 모든 자산이 디지털 사본을 생성하여 효율성, 유동성과 토큰화된 실물 자산에 대한 소유권 분산화 측면에서 이점을 생성하는 프로세스이다.

물리적 자산을 디지털 형식으로 변환하거나 디지털 자산을 새로운 인프라로 마이그레이션 함으로써 재고나 공급망 자산, 금융 상품 등의 자산을 디지털화 할 수 있으며 현금 흐름, 투자 기회나 자본 형성을 재설계하여 자산을 금융 상품으로 전환하는 것으로 데이터, 지적재산, 게인 내 자산 등이 대상이 될 수 있다.

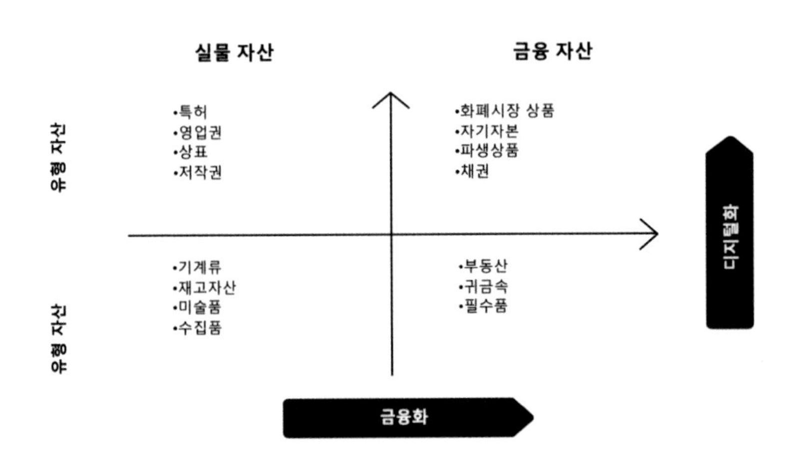

출처 : Outlier Ventures, Beyond the Hype of Real World Assets, Firblocks

실물 자산의 토큰화(RWA)는 2017년과 2018년에 블록체인 기술을 다양한 투자 기회에 적용하는 가장 매력적인 방법으로 부각되면서 관심이 커지게 되면서 수집품, 부동산, 예술품 등 비유동성 자산과 물리적 자산의 디지털에 집중되었다.

2019년에는 주로 소매 투자자와 암호화폐 애호가에 의해 주도 되었으며, 자산을 온체인으로 이동할 수 있다는 전망에 대한 흥미를 불러 일으키며 은행, 해지펀드, 연기금, 자산 관리자 등 기관 투자자들의 관심이 높아진 시점이다.

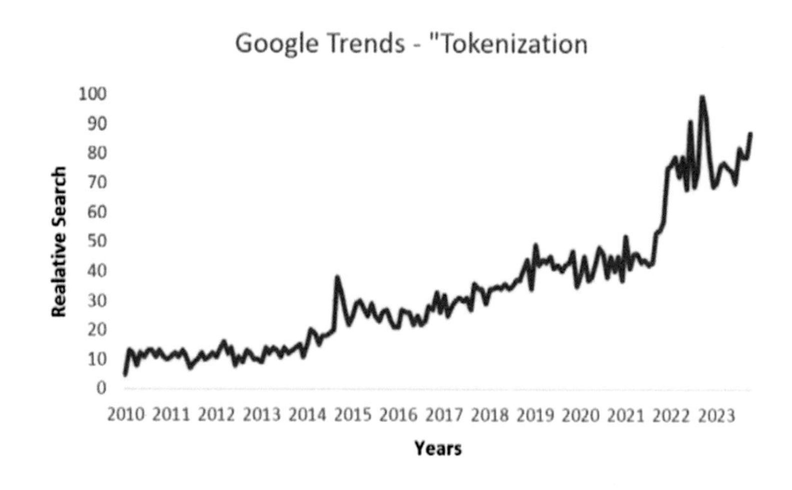

출처 : Google Trends

2020년에 분산형 금융(DeFi)에 금융 상품 미러링을 갖춘 대체 금융 시스템을 선보이면서, 금융 기관이 실물자산 토큰화(RWA)에 자원을 투입하기 시작하였으며, 토큰화 혁신의 상당 부분이 금융 애플리케이션이 집중되면서 토큰화와 잠재력을 활용하기 위한 블록체인 기술의 통합 측면에서 금융 산업이 주도하는 시장이었다.

실물자산 토큰화(RWA)가 탄력을 받은 시점은 2023년으로 금융 기관의 판매와 거래 관련하여 자산 관리나 비즈니스 라인은 규제 부담이 증가하게 되었으며, 핀테크 시대의 도래로 인해 최근 몇년 간 비용 압박을 받으면서, 이를 타개하기 위한 방안으로 토큰화의 확장성과 비용 이점의 잠재력을 인식하게 되었다.

이와 더불어 무위험 지표금리(Risk-Free Reference[1], RFR)가 높을수록 거래 실행 중 자본 비효율성으로 인한 실제 비용이 드러나면서 비효율적인 청산 및 거래, 금융활동 비용이 기하급수적으로 증가하여 금융기관이 대체 솔루션을 찾도록 유도하면서, 많은 금융기관이 자체 토큰화 플랫폼을 구축하기 위해 발빠르게 연구와 구축을 가속화하고 있다.

자산을 토큰화 하기 위해서는 법률이나 제도, 규제 개선이 필요하게 되는데, 지난 몇년간 실물자산 토큰화(RWA)를 위한 규제 개선이 진행되어 왔으며, 국내도 마찬가지로 실물 자산의 토큰화를 위한 토큰 증권 가이드 라인을 2023년 2월에 공시하면서, 금융 기관, 특히 증권사에서는 새로운 먹거리로 적극적으로 실물자산 토큰화(RWA) 시장에 뛰어 들고 있는 상황이다.

1 무위험 지표금리(Risk-Free Reference)는 파생 상품시장 등 일부 금융거래에서 기존 지표금리르 대체하여 사용하기 위한 목적에서 만들어졌다.

실물자산의 토큰화(RWA)로 인해, 증권의 다음 세대는 증권의 토큰화가 될 것이며, 분산원장은 즉각적인 정산을 가져오고 전체 생태계를 변화시킬 것으로 예상되면서 큰 관심을 받고 있으며, Web 3.0 기반의 토큰 및 분산형 금융과 맞물려 크게 확장될 시장으로 보고 있다.

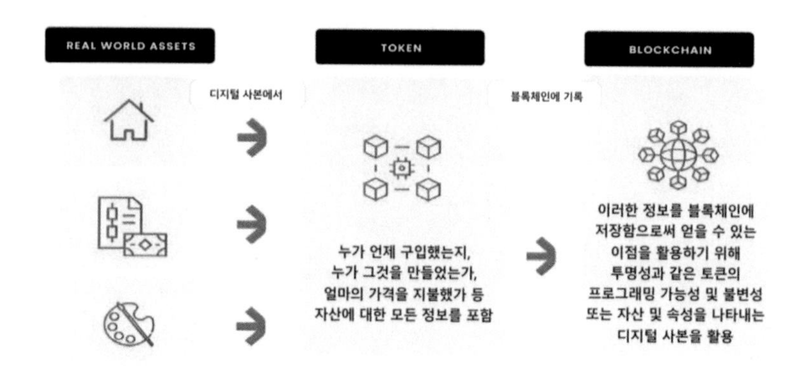

출처 : Outlier Ventures, Beyond the Hype of Real World Assets, Firblocks

실물자산 토큰화의 이점(Benefit)

실물자산 토큰화(RWA)는 블록체인 기술의 특징을 활용하여 능률, 유동성, 자산 소유권의 분산화 이점을 제공한다.

능률(Efficiency)은 자산의 효율성을 높이는 것으로 블록체인 분산원장에 저장된 RWA는 자산의 투명성, 추적성, 프로그래밍 가능성을 향상 시킨다.

자산 효율성을 높이기 위해 실물자산 토큰화(RWA)를 토큰화 하는 방법은 소스에서 목적지까지 재고를 효율적으로 보관하는 재고 관리나 종이, 중앙 서버 기반 문서를 줄이고, 거래의 효율성과 보안, 접근성을 향상시키는 무역 금융 그리고 이해 관계자[2] 전반에 걸쳐 의료 기록의 투명성과 추적성을 향상 시킬 수 있다.

금융시장에서는 인프라와 프로세스는 기존과 다른 자산 클래스 전반에 걸쳐 관행을 통합할 수 있으며, Web 3.0 지갑에 개인 데이터를 토큰화하고 저장하면 개인과 기업이 정보 흐름과 디지털 흐름을 제어할 수 있다.

유동성은 자산처리의 투명성과 무결성, 비용 효율성을 향상시키며 실물자산 토큰화(RWA)를 토큰화하는 방법에는 개인 자산과 같은 비유동적인 시장에서 유동성을 창출하여 투자자가 투자 주기에서 보다 유연한 게임 내 자산, 캐릭터나 암호화폐를 토큰으로 나타낼 수 있으며, 플레이어가 다양한 게임과 플랫폼에서 자산을 거래하거나 판매할 수 있도록 한다.

투명성이 낮았고 중앙 집중화된 시장 조성자가 있는 분열 시장인 미술, 수집품, 음악 영역에서 유동성을 통합할 수 있다. 탄소 배출권과 같은 새로운 자산에 유동성을 부여하여 블록체인 기반에서 투명하게 거래할 수 있으며,

2 환자, 병원, 제약회사, 보험

데이터를 중심으로 유동적 시장을 구성하면, 기존에 자산을 관리하고 보관하는 금융기관이 아닌 다른 이해관계자나 기업이 자산으로 수익을 창출할 수 있는 기회를 가질 수 있다.

토큰화는 장외(OTC) 자산에 대한 시장을 창출할 수 있는 잠재력을 가지고 있다.

자산 소유권의 분산화는 소유권의 조정된 분산화를 가능하게 하고, 다양한 당사자의 소유권 부분을 추적하기 위한 효율적이고 저렴한 방법을 제공한다.

기존 시스템에서 높은 비용으로 분산형 소유권이 경제적으로 불가능했던 상황에서 블록체인의 낮은 비용과 확장성을 통해 소유권의 분산화를 촉진하고 있으며, 자산을 더 작은 부분으로 분할함으로써, 자산에 대한 접근을 쉽게 하여 지분 형성을 위한 새로운 방법을 창출할 수 있다.

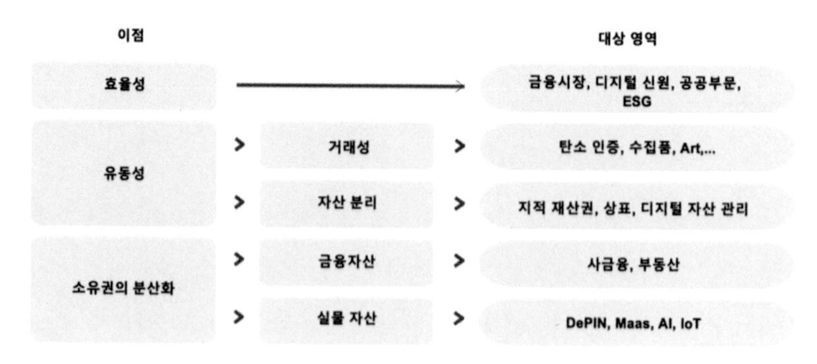

출처 : Outlier Ventures, Beyond the Hype of Real World Assets, Firblocks

실물자산의 토큰화(RWA)가 다양한 영역에 적용되면서, 금융시장 내에서 수탁(커스터디)에 대한 개념이 변화되기 시작하였으며, 유가증권 보관은 종이 기반 기록 증명에서 디지털 버전으로 전환됨에 따라 관리인의 역할을 물리적 보호와 자산 보호에서 전자기록 보관으로 변화되고 있다.

보관은 디지털 자산의 출현으로 보관의 성격과 정확히 무엇을 보관하는지 보관 대상에 대한 변화가 일어나면서, 디지털 자산 보관은 자산 소유자가 디지털 자산을 Web 3.0 지갑에서 다른 지갑으로 전송하기 위해 디지털 계약에 서명할 수 있도록 하는 개인키나 긴 영숫자 문자열 형태로 구성된다.

디지털 자산의 보관은 개인과 기관 모두 자산을 보관하도록 선택할 수 있으며, 결제, 배포나 유지 비용과 관련하여 대규모 효율성이 가능하다.

자체 관리 프레임워크에서 자산이 더 많은 비용을 지출할 수 있으며, 운송, 검증이나 보안에 소요되는 시간을 단축할 수 있다.

보관 인프라의 선택은 사이버 보안 관점에서 평가되어야 하며, 기관이 보관 스펙에 채택한 변화는 디지털 자산의 보관이 브라우저 기반인 핫월렛(Hot Wallet)에서 효율성이 낮은 하드웨어 월렛(Hardware Walet)으로 전환되고 있다.

이와 더불어 엔터프라이즈급 보관 플랫폼의 기술적인 성장으로 금융시장에서 블록체인의 잠재력을 발휘할 수 있는 안전한 거래 기반 서비스가 가능하다.

블록체인 기반에서 발행된 자산은 스마트 계약을 통해 관리되며 개인키를 사용하여 관리와 배포를 할 수 있으며, 개인 투자자와 기관 모두가 자산을 통제할 수 있다.

보관에 대한 변화는 디지털 자산에 대한 다양한 요구조건에 맞게 실물자산의 토큰화(RWA)의 성장에서 필수적인 사항으로 기술적이나 관리 측면에서 새로운 비즈니스 모델을 구체화하는데 중요한 역할을 담당하게 될 것이다.

실물자산 토큰화(RWA)는 소유권, 엑세스, 가치를 나타내는 토큰을 프로그래밍 가능하며, 안전하고 다양한 영역에 걸쳐 혁신적인 방안을 제공할 수 있다.

부동산, 벤처 캐피탈 등 전통적으로 비유동적인 자산의 부분 소유권을 가능하게 하고, 투자자가 부분 소유권을 나타내는 디지털 토큰을 사고 팔 수 있도록 하여 유동성과 접근성을 향상시킬 수 있으며, 거래 프로세스를 간소화하여 사기 위험을 줄이고 시장 효율성을 향상시킬 수 있다.

향상된 고객 참여를 위해 디지털 토큰을 활용한 로열티 프로그램과 보상 시스템을 도입하여 고객에게 인센티브나 개인화된 경험을 제공하고 브랜드 로열티를 높일 수 있으며, 토큰을 활용하여 원활하고 효율적인 생태계를 구축할 수 있다.

부동산의 부분 소유권을 촉진하여 더 많은 투자자가 대규모 투자에 접근할 수 있으며, 투자자가 소유권 지분을 나타내는 디지털 토큰을 사고 팔 수 있도록 하여 부동산 시장의 유동성을 향상시키고, 블록체인을 활용하여 실제 자산 거래에 투명성과 보안을 제공할 수 있다.

지적재산권, 특허, 저작권을 토큰화하여 투명한 소유권 이전을 촉진하고 창작자가 자신의 디지털 자산에 대해 투명한 로열티를 지급 받을 수 있으며, 블록체인을 통해 디지털 콘텐츠의 추적성과 신뢰성을 향상시킬 뿐만 아니라 토큰화된 경제를 도입하여 게임 경험을 개선할 수 있다.

콘텐츠 제작자가 팬 참여와 새로운 수익원을 위해 자신의 작업물을 토큰화 할 수 있으며, 팬들은 영화, 음악, 디지털 아트와 소유권 지분을 구매하고 거래 할 수 있다.

개인이 엑세스 제어와 수익 창출을 위해 개인 데이터를 토큰화 할 수 있으며, 사용자에게 자신의 데이터에 엑세스할 수 있는 대상을 결정할 수 있는 기능을 제공하여 개인정보 보호에 대한 제어를 강화할 수 있어, 사용자가 안전하고 투명한 방식으로 데이터로 수익을 창출할 수 있는 기회를 가질 수 있다.

희귀 수집품, 빈티지 자동차 등 다양한 대체 자산으로 토큰화를 확장할 수 있으며, 다양한 자산에 대한 새로운 투자기회와 시장을 조성할 수 있다.

토큰화를 활용하여 각 제품에 고유한 디지털 ID를 제공하고 위조를 방지할 수 있으며, 소비자는 블록체인을 통해 진위 여부를 확인할 수 있도록 지원하고 변조 방지 기록을 생성하여 위조품의 확산을 방지할 수 있다.

WEB 3.0 기반 실물자산 토큰화 기술 영역

Web 3.0에서 다양한 영역에 활용될 수 있는 실물자산 토큰화(RWA)를 구현하기 위해서 필요한 기술 요소는 표준, 인프라, 응용 프로그램으로 3가지 계층으로 구성되어 있다.

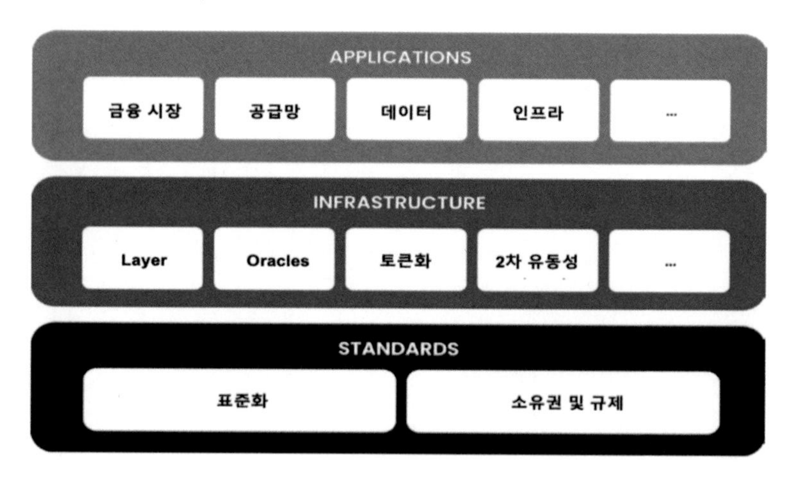

출처 : Outlier Ventures, Beyond the Hype of Real World Assets, Firblocks

표준은 자산과 소유권을 표현되는 방식을 정의한 것으로 토큰의 프로그래밍 가능성을 안내하는 역할을 담당하며, 인프라는 토큰화를 활성화하고 주변 인프라와 연계 역할을 담당하고, 응용 프로그램은 토큰화된 자산 보유자에게 유틸리티를 제공하는 역할을 한다.

실물자산 토큰화(RWA)의 표준은 중앙에서 발행되거나 생성되지 않는 경우는 서로 다른 플레이어나 서로 다른 생태계에서 발행한 토큰 간의 상호 운용성을 보장하기 위해 수용되는 표준을 갖는 것이 중요하다.

토큰 표준이 토큰의 제어, 전송과 복구 문제를 어떻게 해결할 수 있는지에 대한 표준 스펙이 ERC-3643[3]을 사용하며, ERC-3643은 이더리움 개선 제안(EIP) 프로세스의 최종 단계를 통과하면서 (2023.12.15) 이더리움이 공식적으로 채택한 최초의 공식 토큰화 표준이다.

실물자산 토큰에는 프로그래밍 가능한 규칙이 내장되어 있어 규칙은 필수적으로 적용되어야 하며, 자산 소유권을 둘러싼 규제는 모든 토큰에 포함된 규칙이 법으로 시행되기 위한 전제조건이 되어야 한다.

무기명 자산을 둘러싼 규제는 자산 소유권을 관리하는 프레임워크로 자산의 소유자가 법적 소유자이기도 함을 의미하며, 과거 금융자산(채권, 주식 등)에 사용되었으며, 금융 시장이 거래 활동을 촉진하고 차입, 대출 기회를 창출하기 위해 관리인 구조를 채택하면서 관련성이 없어진 상황이지만, Web 3.0

3 ERC-3643는 실물자산 기반 토큰 표준

지갑을 사용하면서 무기명 자산 규제가 다시 중요해지고 있다.

소유권의 분산화는 Web 3.0 내러티브와 가장 밀접하게 일치하는 핵심적 이고 유익한 혁신이며, 소유권이 분산되는 자산 유형에 따라 혜택 적용이 다양하다. 금융자산 시장은 자본 형성과 접근 능력을 중심으로 이루어지는데 접근하기 어려웠던 비공개 시장에 VC나 PE 투자 기회가 투자수단의 분파화를 통해 접근 가능해졌다.

부동산은 소유권 가처분 소득의 60%를 차지하여 토큰화는 자산 소유권을 재구성할 수 있으며, 실물자산 소유권의 분산화를 통해 전통적으로 자본집약적 산업에 대한 진입장벽을 낮추고 기존 비즈니스 모델 문제를 줄여 효율성을 높일 수 있다.

실물자산 토큰화(RWA)의 인프라와 도구는 실물자산을 디지털화하고 블록체인에 통합하여 기술의 이점을 활용할 수 있는 기반 역할을 하며, 생성부터 저장, 거래까지의 프로세스가 포함되며 애플리케이션에 온체인 자산을 대표할수 있는 권한을 부여하기 위해서는 높은 무결성이 보장되는 인프라가 필수적이다.

토큰화 인프라는 범용적인 특성을 가지고 있으며, 자산의 토큰화가 더욱 보편화됨에 다라 애플리케이션은 더욱 전문화될 가능성이 높으며, 특정 애플리케이션을 지원하려면 더욱 강력하고 맞춤화된 인프라가 필요한데 대표적으로 분산형 물리적 인프라 네트워크(DePin)가 부각되고 있다.

DePin은 블록체인 기술을 활용하여 실제 서비스를 제공하는 클라우드 소싱 된 제공자들의 네트워크 생성을 통해 기존의 중앙 집중형 시스템을 탈중앙화된 시스템으로 인프라를 구축하고 유지하는 방법으로 개인이나 회사에 의해 누구나 사용할 수 있도록 분산된 형태로 구축되는 방식이며, 인프라 운영에 기여한 기여자는 금전적 보상과 자신이 구축 중인 네트워크와 제공하는 서비스에 대한 소유권 지분을 받는 형태이다.

DePin은 물리적 인프라와 블록체인 기술 간의 격차를 해소하는 것이 핵심 목표로 공급자는 블록체인에 연결하는 미들웨어로 관리되는 물리적 시설을 제공하고 블록체인은 암호화폐로 거래와 보상을 처리하는 관리 및 송금 시스템 역할을 한다.

DePin은 서비스와 리소의 운영, 배포 및 관리를 지원하는 프레임워크 역할을 하는 물리적, 가상 인프라 네트워크를 포괄하는 용어로 인식되고 있으며, DePin 애플리케이션은 기존의 물리적 인프라 범위를 벗어나 데이터 수집과 인공지능(AI) 인프라, 플랫폼 경제로 확장되고 있다.

이러한 인프라와 더불어 실물자산의 토큰화(RWA)를 지원하기 위한 도구가 필요하게 되며, 이를 지원하는 도구로는 토큰화된 자산을 통해 재무를 관리하고 다양화하기 위해 빠른 결정을 내리고 실행할 수 있도록 하는 DAO

Treasury Tolling, 토큰화된 자산에 대한 위험 관리와 평가 도구, 토큰화된 자산에 대한 규정 준수를 할 수 있도록 지원하는 규정 우선 온보딩 도구, 토큰화를 통해 자산이 단순히 PDF로 추가된 이용 약관이 포함된 토큰으로 표시되는 것이 아니라, 데이터를 토큰에 삽입할 수 있는 토큰을 위한 SDK가 있다.

실물자산 토큰화(RWA)의 응용 프로그램은 애플리케이션 계층으로 실제 유용성이 실현되는 것으로 애플리케이션은 비즈니스 모델에서 토큰화의 주요 이점을 하나 이상 활용하여 가치 제안을 실현하고 사용자가 이점을 얻을 수 있도록 한다.

대부분의 애플리케이션은 토큰화 우선 접근 방식을 채택하고 있으며, 기술적인 가치보다는 실질적인 이점에 의해서 주도되는 방식의 흐름으로 가고 있다. 다양한 자산 클래스에 적용되고 있는 토큰화의 급속한 확장으로 인해 토큰화 인프라는 모듈화로 구성되고 있으며, 모듈식 아키텍처로 전환됨으로 인해 상호 운용성을 향상시킬 뿐만 아니라, 사용자 정의를 가능하게 하며 원활한 생태계 조성이 가능해 지고 있다.

토큰화 생태계에서는 부동산부터 지적재산권, 금융상품까지 다양한 자산을 효율적으로 표현, 거래, 관리할 수 있다.

특히, 증권형 토큰(Security Token Offering, STO)이라는 새로운 형태의

투자자산이 새로운 투자 대상으로 부각되면서, 벤처캐피탈(VC)들의 투자와 기업들의 투자가 활성화 되고 있으며, 국내에서는 금융위원회가 2023년 2월 6일에 "토큰증권 발행 및 유통 규율체계 정비방안"을 발표하면서 증권형 토큰의 발행과 유통을 허용할 계획을 밝히면서 국내 증권사를 포함한 금융권에서 증권형토큰 초기 시장을 선점하고 시장에 진입하기 위해 발빠르게 움직이고 있는 상황이다.

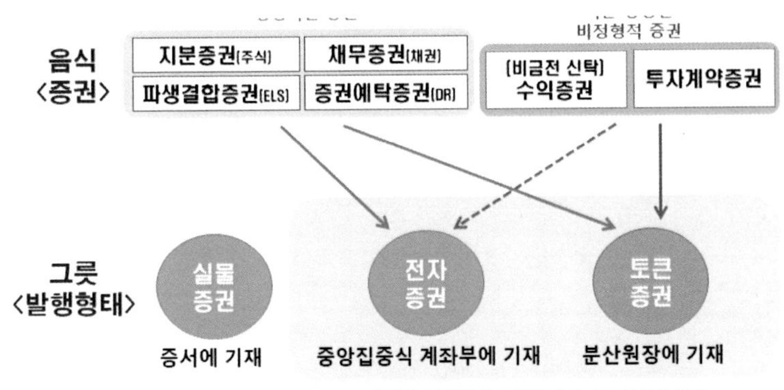

출처 : 금융위원회 보도자료 토큰증권(Security Token) 발행.유통 규율체계 정비방안

증권형 토큰(STO)은 부동산과 같은 실물자산과 금융자산을 기반으로 발행되는 토큰으로 블록체인의 분산원장 기술을 이용하여 가상자산 중 증권의 속성을 가진 형태이며, 토큰 발행사에 대한 소유권을 가지고 있어 주식과 유사하고 이용자는 토큰 발행사가 창출한 이윤의 일부를 배당금으로 받을 수 있는 구조이다.

실물 자산을 기반으로 하는 증권형 토큰(STO)은 법적인 제한을 받으며, ICO(Initial Coin Offering)와 같은 자유로운 자금을 모집하는 것이 불가능하다.

증권형 토큰(STO)은 금융상품 뿐만 아니라 부동산, 미술품, 음악까지 많은 상품들이 증권화되어 거래될 수 있으며, 작은 단위까지 토큰으로 나누어 판매될 수 있기 때문에 소액으로도 빌딩이나 저작권 등을 구매할 수 있어 소액 투자에 용이하다. 암호화폐와 달리 실물을 증권화 하기 때문에 더 안정적인 투자가 가능하고 전통적인 증권발행 보다 증권화 할 수 있는 대상이 다양하며, 절차와 비용면에서도 절감되어 증권화 접근성이 우수하다.

이와 같이 활용 영역의 확장면에서 새로운 시장을 개척하고 구축할 수 있는 이점이 있으며, 실물자산을 토큰화 하기 위한 다양한 법제도가 정립되고 있지만 실물자산 토큰화(RWA)에 고려해야할 사항을 잘 검토하여 토큰화를 진행해야 한다.

블록체인 기반 애플리케이션은 본질적으로 네트워크 효과에 의존하며, 실물자산 토큰화(RWA)에서는 효율성, 유동성을 전환하기 위해 사용자의 네트워크 효과가 필요하며 새로운 사용자가 실물자산 토큰화(RWA)를 토큰화 하고 공유 블록체인을 채우도록 설득하는 실행 가능한 가치 제안으로 소유권을 분산시키는 것이다.

계획과 목표없이 분산형 블록체인을 먼저 도입하여 사용하는 경우, 실이익이 없이 단순히 비싸고 비효율적인 데이터베이스를 운영하는 것이므로, 토큰화를 위한 대상과 이를 운영하기 위한 프로세스를 명확히 수립하는게 필요하다.

실물자산의 토큰화를 위해서는 기존의 규제와 수용 프로세스를 준수하여 이에 맞게 분산형 애플리케이션으로 전환하는 방법을 검토해야 하며, 블록체인 기반 금융에 대한 호환성, 규정 준수 및 투자자의 신뢰를 보장하기 위해 실제 자산의 토큰화를 표준화 하는 것이 필수적이다. 그리고 자산의 디지털 사본인 데이터를 중앙 집중식 데이터 인프라에서 블록체인 기반 인프라로 마이그레이션을 해야 하며, 데이터 인프라를 변경하는 동시에 기존의 운영 시스템을 보호하는 차원에서 추진해야 한다.

실물자산 토큰화(RWA)는 투자와 자산 관리에서 제조, 부동산, 예술에 이르기까지 상당한 변화의 잠재력을 가질 것으로 예상된다.

물리적이나 무형 자산을 거래 가능한 디지털 토큰으로 변화되면 블록체인은 다양한 자산 유형의 유동성, 접근성과 효율성을 향상시킬 수 있으며, 트콘화된 채권과 같은 기존 사용사례가 이미 있으므로, 부동산, 탄소 배출권, 재고 그리고 지적 재산과 같은 자산 등이 온체인으로 이동할 수 있는 디지털 자산으로 확장되고 있다.

Web 3.0 구성 요소인 소유권과 NFT의 특성과 맞물려, 브랜드나 기업들의 토큰화된 자산으로의 전환과 디지털 자산에 대한 적용이 가속화 될 것이며, 온라인 서비스를 제공하는 플랫폼사나 메타버스 업체들도 가상세계의 생태계 내에서 실물자사관의 연동을 위한 하나의 수단으로서 적용할 가치를 가지게 될 것이다.

제 11 장

Web 3.0 기반 게임(Game)

Web 3.0 게임 200
블록체인이 필요한 이유 202
Web 3.0 게임의 필수 요소 206
Web 3.0 게임 추진 사례 209
Web 3.0 게임의 과제 218
Web 3.0 게임의 미래 시사점 및 전망 221

제 11 장 Web 3.0 기반 게임 (Game)

게임 산업의 역동적인 환경에서 Web 3.0의 출현은 가상세계와 상호 작용하는 방식을 재정의하는 분산되고 몰입감 있는 경험을 약속하는 시대를 열었으며, Web 3.0 기반 게임은 2022년 분산형 애플리케이션 활동의 절반 이상을 차지할 만큼 크게 성장한 영역이다.

블록체인과 분산형 금융(DeFi)의 융합인 Web 3.0 게임은 블록체인, 분산형 금융(DeFi) , 게임 경제의 융합으로 토크노믹스(Tokenomics[1])의 새로운 장을 열었으며, Web 3.0 기반으로 기존 게임 모델이 게임 제작과 플레이어가 가상 영역에서 어떻게 상호 작용하고 소유하는 형태로 변화됨에 따라 Web 3.0 기반 게임은 투명성, 소유권과 상호 운용성을 도입하여 전통적인 중앙 집중식 게임 구조를 재정의하고 있다.

Web 3.0 게임은 디지털 자산 소유자와 기치 창출의 혁명으로서 창의성 및 경제와 기술이 융합되는 형태로 자리 잡고 있으며, 플레이어에게 게임 내 자산에 대한 진정한 소유권을 부여하고 보상하는 새로운 경제 모델을 기반으로 하여 게임 내의 자산을 소유하거나 판매할 수 있는 권리를 갖는 것 뿐만 아니라 자산 소유권은 자산의 모양, 기능, 사용 위치에 대한 통제권을 가지는 것이다.

1 토므노믹스(Tokenomics)는 토큰과 결제학의 합성어로 토큰을 활용한 결제 시스템

Web 3.0 게임은 사용자 개인 정보보호를 우선시하고 분산형 플랫폼에서 작동하는 방식으로 입증 가능한 커뮤니티 참여 그리고 분산형 거버넌스와 토큰 인센티브를 강조하고 있다. 블록체인을 도입하는 Web 3.0 게임은 게임 디자인, 생성 및 배포를 향상시키기 위해 추가 기능, 분산 소유권 모델과 혁신적인 기술을 제공할 수 있다.

Web 3.0 게임은 대체불가능한 토큰(NFT)를 통해 플레이어들에게 소유권을 제공하는 블록체인 기술을 사용한 요소들을 포함하고 있는 게임의 한 유형이며, 게임과 토큰의 융합을 통해 암호화폐를 획득하고 실물화폐와 바꾸어 수익을 얻을 수 있는 플레이투언(Paly-to-Earn., P2E) 게임 형태가 등장하게 되었다. Web 3.0 기반 게임은 P2E 이라는 모델을 기반으로 급성장하고 있는 영역으로, 이 모델을 기반으로 한 블록체인 수와 유저수가 지속 성장 중이며, 특히 엑시 인피 니티(Axie Infinity)라는 게임의 성공 이후, 폭발적으로 증가하기 시작했다.

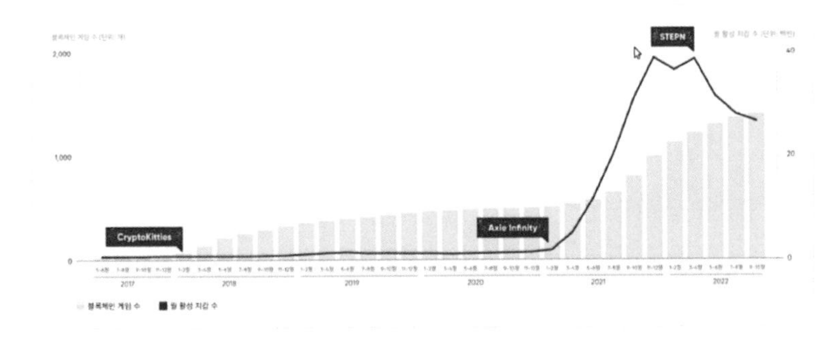

출처 : Haechi

P2E(Paly-to-Earn)은 Web 3.0 게임의 가장 초기 모델 중 하나로 플레이어가 암호화폐를 벌어들이기 위해 게임을 플레이하는 것으로 퀘스트, 배틀 등과 같은 미션을 완수하게 되면 게임에서 발행된 토큰을 받아 자신의 Web 3.0 지갑에 추가하거나 게임 내에서 소비할 수 있는 모델이다.

블록체인 기반 게임 모델

수익을 위한 플레이 (Play-to-Earn) :
사용자는 토큰 획득을 주요 목표로 플레이를 시작한 후, 도전과제, 퀘스트 등을 완료하기 위해 투자하는 모델

출처 : ironSource

블록체인이 필요한 이유

Web 3.0 게임에서 블록체인이 필요한 이유는 플레이어의 자산 소유권을 부여할 수 있는 것으로 Web 2.0 게임에서는 아이템을 소유하는 것이 가능하고 플레이어는 자신이 좋아하는 MMORPG[2]의 게임 내 아이템을 전용 마켓플레이스에서 판매할 수 있지만, 게임의 이용 약관은 해당 아이템을 게임 외부에서 실제 아이템으로 교환하는 것을 금지해 왔지만, Web 3.0 게임에서는 블록체인 기술 적용으로 플레이어는 게임 내 리소스, 스킨, 기타

2 MMORPG는 대규모 다중 사용자 온라인 롤플레잉 게임(Massively Multiplayer Online role-Playing Game)의 줄임말

디지털 아이템을 게임 개발자나 퍼블리셔로부터 임대하는 대신 실제 소유, 거래, 수집할 수 있으며 플레이어에게 재산권과 소유권을 제공하여 게임 간 상호 운용성, 게임 구성 가능성, 새로운 비즈니스 모델과 수익 창출 전략 등에 대한 많은 가능성을 제공할 수 있다.

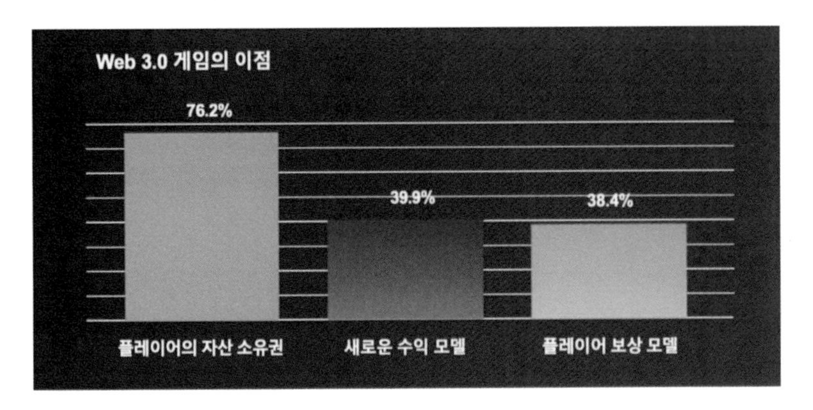

출처 : BCG, Web 3.0 Gaming Mass Adoption

블록체인은 플레이와 획득부터 자산 거래, 커뮤니티 거버넌스에 이르기까지 게임 방식을 변화시키고 있으며, 블록체인 기술은 게임의 즐거움과 본질을 훼손하려는 것이 아니라 더 큰 플레이어의 자유와 게임 노력에 대한 보상, 그리고 플레이어 중심 의사결정을 통해 게임 경험을 향상시킬 수 있다.

Web 3.0 게임의 가장 중요한 버전은 플레이어에게 더 많은 제어권을 부여하고 기여한 가치에 비례하여 보상하며, 기준을 낮추어 상위 0.1%의 플레이어만이 수익을 낼 수 없도록 하는 것이다.

블록체인은 공정성과 투명성, 게임 내 자산의 진정한 소유권, 게임 커뮤니티에 민주주의를 가져오는 것을 목표로 하며, 플레이 경험을 개선하고 차세대 게임을 제공할 수 있도록 도와 줄 수 있다.

Web 3.0 게임은 게임 내 자산의 진정한 소유권과 분산된 게임 내 경제, 플레이를 통한 수익 창출, 커뮤니티와 거버넌스, 긍정적인 환경 변화를 가져올 수 있다.

블록체인은 게임 내 자산의 진정한 소유권을 가능하게 하여 플레이어에게 더 큰 통제력과 자유를 제공하며, Web 2.0 게임은 게임 내 자산을 구매하는 것이 가능하지만 해당 자산을 실제로 소유할 수 없으며 게임 업체가 문을 닫거나 게임 이용이 금지되는 상황이 발생하게 되면, 해당 자산을 잃을 가능성이 높다. 하지만 Web 3.0 게임은 토큰이나 NFT 형태의 블록체인 기반 자산을 활용해 게임 외부의 Web 3.0 지갑으로 전송하거나 잠재적으로 다른 게임에서 사용될 수 있는 기회를 제공할 수 있다.

기존 온라인 게임에서 플레이어는 게임 경험을 향상시키고 다른 플레이어보다 우위를 점하기 위해 결제르 통해 캐릭터, 무기, 스킨, 차량과 같은 다양한 자산을 획득하는 경우가 많지만, Web 3.0 게임은 플레이어가 암호화폐나 게임의 기본 토큰을 사용하여 자산을 구매할 수 있는 분산형 게임 내 경제의 기회를 제공한다.

Web 3.0 게임에서 언급하고 있는 게임 플레이에 대한 노력에 대한 보상을 받는 것은 새로운 개념이 아니지만, 가장 큰 차이점은 게임에서 사용되거나 실제 가치로 교환될 수 있는 보상을 얻을 수 있다는 것으로 플레이어가 게임에 더 많은 시간과 노력을 투자하도록 장려할 뿐만 아니라, 플레이어가 게임과 관련된 활동을 통해 수익을 얻을 수 있는 새로운 기회를 제공할 수 있다.

게임에는 게임 플레이 토론, 협업, 거래 기회와 일반적인 사교 활동을 위해 커뮤니티를 운영하는 것으로 기본적인 사항으로 활발한 게임 커뮤니티는 게임 피드백을 위한 공간으로 많이 활용하고 있는 영역이다. 커뮤니티를 통해 게임 유저와 소통하고 플레이어는 게임에 대한 필요한 정보와 같은 유저들 간에 정보를 교환할 수 있는 장으로 활용되고 있지만, 블록체인 기반 탈중앙화 자율조직(DAO)을 적용하여 커뮤니티는 게임 운영, 기금 모금과 플랫폼의 미래 방향에 더 깊이 참여할 수 있으며 참여율에 따라 인센티브를 받을 수 있다.

Web 3.0 게임에서 플레이어는 온체인 평판을 구축하고 각 커뮤니티 구성원이 달성한 것에 대한 통찰력을 제공할 수 있다. 온체인 활동을 볼 수 있다는 것은 개발자가 Web 3.0 게임이나 NFT에 참여하는 Web 3.0 지갑을 추적할 수 있다는 의미로, 플레이어에게 마케팅을 하거나 주소를 직접 초대하면 사용자 획득과 확장에 도움이 되며, 온체인 활동에서 추적된 데이터를 사용하여 플레이어 행동에 대한 보다 구체적인 데이터를 얻을 수 있다.

블록체인은 플레이어가 온라인에서 평판을 쌓을 수 있도록 하며, 타 플레이어는 플레이어의 Web 3.0 지갑에서 영구적이고 확인 가능하게 첨부된 게임 내 업적을 볼 수 있어, 플레이어에게 신뢰성을 제공할 수 있는 기회를 제공한다. 블록체인은 고유한 강점을 활용하여 게임에서 입증 가능한 공정성을 가능하게 하며, 게임의 규칙을 참가자에 대한 정보와 함께 온체인으로 설정 될 수 있는 구조로 스마트 계약이 자체 실행되어 토너먼트 우승자에게 보상을 제공할 수 있다.

게임에서 활용하는 다양한 유형의 데이터가 온체인에 기록될 수 있으며, 알고랜드(Algorand) 블록체인의 세계 체스 기록 게임이나 순위 정보 등을 누구나 접근할 수 있는 투명성 덕분에 퍼블릭 블록체인은 다른 플레이어의 게임 활동과 그들이 보유한 게임 내 자산에 대한 통찰력을 제공할 수 있다.

Web 3.0 게임에서는 블록체인 기반으로 구축된 분산형 디지털 ID를 통해 플레이어는 커뮤니티에서 ID와 평판을 구축하고 게임에 대한 새로운 수준의 신뢰를 얻을 수 있으며, 게임 내에서의 부정해위와 사기 행위의 위험을 낮출 수 있다.

WEB 3.0 게임의 필수 요소

Web 3.0 게임의 필수 요소로는 기본적으로 모든 게임의 목표인 재미있는 게임이어야 하며, 게임을 플레이하는데 쉬운 온보딩 프로세스를 통해 Web 3.0 지갑을 만들고 연동하는지도 모르게 쉬운 접근 방법을 제공해야 한다.

블록체인의 암호화와 보안 기술을 이용하여 안전한 게임 접근과 게임 내 자산, 게임 내 데이터를 안전한 환경에 관리 및 운영해야 하며, 지속 가능한 게임 토크노믹스 경제가 유지되도록 규칙과 프로세스를 구축해야 한다.

Web 3.0 게임에서 블록체인 인프라는 기본적으로 구성해야 하는 필수 요소로 이더리움, 솔라나와 폴리곤과 같은 다양한 블록체인 네트워크를 기반으로 구축할 수 있으며, 이와 별도로 자체적인 블록체인 인프라를 구축하기 위해 네오위즈는 폴리곤관의 파트너십을 통해 Web 3.0 게임 플랫폼 "인텔라 X[3]"를 구축하였다.

인텔라 X는 블록체인 기반으로 개발사들과 이용자들에게 최적화된 블록체인 환경을 제공하는 것을 목표로 하고 있으며, 인텔라 X의 핵심 가치는 플랫폼 생태계 활성화 기여에 따른 보상 모델로 게임을 개발해 온보딩한 개발사들과 게임을 플레이하며 토큰을 예치한 플레이어들 모두에게 그에 대한 대가로 거버넌스 토큰을 제공 받을 수 있도록 구성되어 있다.

인텔라 X의 거버넌스 토큰은 아이엑스(IX)로 이더리움 네트워크에서 발행

3 인텔라 X는 폴리곤 네트워크에 구축되는 Web 3.0 블록체인 게임 플랫폼

되고 인텔라 X는 폴리곤 네트워크에서 구축되는 방식으로 이 두 블록체인 네트워크는 "브릿지"를 통해 서로 연결되며, 향후 다양한 블록체인 네트워크와 연결되는 "멀티 체인" 게임 플랫폼으로 상호 운용성을 보장하는 형태로 구성되게 될 것이다.

출처 : 네오위즈 인텔라 X, Polygon

Web 3.0 게임의 기술 영역에는 게임 개발에서 데이터 및 분석, 블록체인 플랫폼까지 포함되어 있다.

게임 개발 영역에서는 전통적인 게임 산업을 선도하는 많은 도구는 Web 3.0 게임 개발에도 동일하게 사용할 수 있는 형태로 게임 개발자는 기존 게임 스튜디오와 동일한 품질의 게임 제작을 지원하기 위해 언리얼 엔진

(Unreal Engine[4]) 과 유니티(Unity[5]) 게임 엔진을 활용하여 구축할 수 있으며, Sequence이나 Mirage와 같은 새로운 게임 SDK를 기반으로 Web 3.0 지갑의 기본 통합과 같은 게임 개발을 용이하게 하는 도구를 제공하고 있다.

데이터와 분석 영역에서는 온체인 트랜잭션의 투명성은 플레이어와 게임 개발자 모두에게 가치 있는 고유한 데이터 소스를 제공하고, 댑레이더(DappRadar[6])이나 P2E 분석과 같은 애플리케이션에서 수집한 통찰력은 의사결정에 정보를 제공하고 게임 경험을 개선할 수 있다.

게임 스튜디오 영역에서는 다양한 플랫폼을 제공하고 있으며, 건질라(Gunzilla[7]), 엑스테리오(Xterio[8])와 같은 게임 스튜디오는 모두 Web 3.0 게임의 지속적인 개발을 도와줄 수 있다.

WEB 3.0 게임 추진 사례

Web 3.0 게임의 추진 사례 중에 대표적인 게임으로 2021년 여름에 출시된

4 얼리얼 엔진(Unreal Engine)은 미국의 에픽케인즈에서 개발한 3차원 게임 엔진

5 유니티(Unity)는 3D 및 2D 비디오 게임의 개발 환경을 제공하는 게임 엔진

6 댑레이더(DappRadar)는 이더리움, 이오스, 트론, 온톨로지 등 여러 블록체인 플랫폼에 올라가는 댑 서비스를 위한 종합 유통 플랫폼

7 건질라(Gunzilla)는 암호화폐 게임 개발사

8 엑스테리오(Xterio)는 Web 3.0 게임 플랫폼

엑시 인피니티(Axie Infinity)는 P2E 모델의 선두주자 중 하나이며, 게임 내 모든 행동이 블록체인 분산원장에 기록되는 형태로 게임 내에서 엑시(Azie)는 플레이어들이 획득하여 키우는 작고 귀여운 동물이며, 이는 보상을 얻기 위해 전투 미션에 활용한다.

각각의 엑시(Axie)는 이더리움 기반의 NFT 이며, 수익을 위해 판매나 거래될 수 있는 유일한 희소성을 가지고 있는 디지털 수집품이다.

엑시 인피니티의 출시로 인해, 전세계의 플레이어들은 게임 플레이를 통해 수익을 얻을 수 있는 새로운 경험을 접하게 되었으며, 한때 필리핀에서 엑시 인피니티를 통해 1,500 ~ 2,000 달러르 벌기도 하면서 성공적으로 Web 3.0 게임으로 진출하는 계기를 마련하는 성과를 달성했다.

출처 : Axie Infinity

국내 게임 산업에서도 성공적인 Web 3.0 게임을 출시한 사례가 있으며, Web 3.0 모델 중에 P2E 기반 게임이 출시되고 있다.

플레이댑은 2020년 6월 5일에 "신과 함께: 여명의 기사단(빛의 원정대)"를 선보이면서 게임 내에 게임 콘텐츠인 캐릭터나 아이템을 NFT화 하고 플레이어들끼리 거래할 수 있도록 구현하였다. 게임의 밸런스나 콘텐츠 등에 신경 쓸 필요 없이 NFT 활용 방안만을 고민하여 "신과 함께"는 플레이댑의 자체 블록체인 기술이 접목된 "라이트 빛의 원정대"의 리마스터 버전으로 플레이어는 "신과 함께"에서 다섯가지 작업을 선택하고 총 100여 종이 넘는 영웅과 함께 나만의 영웅단을 꾸려 다양한 전투 콘텐츠를 즐길 수 있다.

출처 : 플레이댑, 신과함께:여명의 기사단

NFT를 일종의 입장권 처럼 사용할 수 있으며, 게임 PVP 랭킹 등에 따라 암호화폐를 지급하는 콘텐츠를 만들고 해당 콘텐츠를 즐기기 위해서는 별도의 NFT를 구매해서 예치(스테이킹)하여 수익을 얻도록 하는 프로세스를 적용 하였다.

플레이댑은 Web 3.0 게임 간에 NFT를 대상으로 2019년 선보인 "크립토 도저"와 "도저 버드" 게임을 통해 상호 운용성을 최초로 증명하였으며, NFT를 게임 간에 이동이 가능하고 특정 NFT를 얻기 위해 플레이어들이 게임을 오가면서 두 게임의 활성화율에 대한 지표가 긍정적으로 상승하는 결과를 확인하였다.

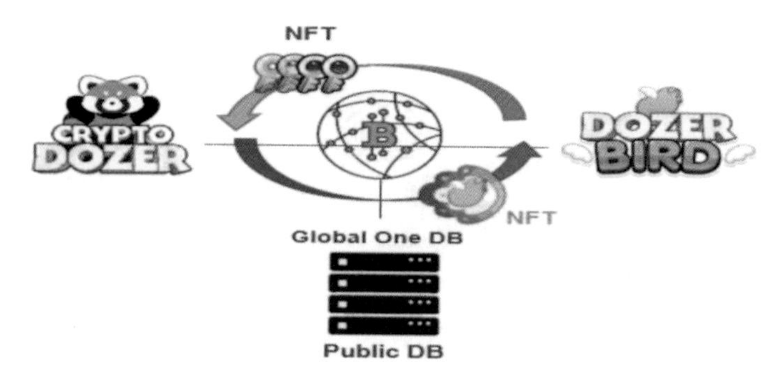

출처 : 플레이댑

Web 3.0 게임이 추구하는 목표 중에 하나인 상호 운용성이 가능해지면, Web 3.0 시장이 더 활성화 될 수 있는 매개체 역할을 하게 되고, Web 3.0 게임 간의 마케팅 효과가 크게 기대되는 이유가 될 수 있다.

위메이드가 선보인 미르 4는 특정 재화의 토큰화를 통한 블록체인 기반 암호화폐를 획득할 수 있는 형태로 기존 게임을 그대로 가져가면서 특정 재화만 블록체인과 연결하여 경제 시스템을 구성하였다. 미르 4 게임 내 흑철이라는 재화를 토큰화해서 가상자산인 드레이코를 얻을 수 있도록 하였으며, 플레이어는 드레이코를 거래소에서 몇 단계를 거쳐 위메이드의 위믹스(WEMIX) 토큰으로 교환할 수 있다.

미르 4는 미르의 전설 IP를 활용하였기에 스토리와 그래픽 등 게임 요소가 기존의 Web 3.0 네이티브 게임들 대비 경쟁력이 있었으며, 크립토 상승장 시기에 게임을 출시하여 토큰 가격 상상으로 플레이어에게 보다 더 큰 수익을 제공하면서, 더 많은 유저들이 게임에 접속하게 되어 토큰 가격의 상승을 이끄는 선순환 사이클이 발생하게 되었으며 이에 따른 이득을 보게 되었다.

이와 더불어 플레이어들에게 낮은 수수료로 블록체인 인프라를 활용할 수 있도록 지원함으로써 기존의 높은 수수료가 결제 비용에 비해 저렴한 수준으로 게임을 즐길 수 있어 유저들이 부담 없이 게임을 즐길 수 있는 환경을 제공하였다.

미르 4의 성공적인 출시를 기반으로 국내의 게임사들은 Web 3.0 기반 게임을 출시하기 시작한 계기를 제공하면서 다양한 유형의 P2E 게임이 나오기 시작했다.

출처 : 위메이드 미르4

넷바블은 2023년 4월 19일에 전세계 2억명이 즐기고 있는 캐주얼 게임 "모두의 마블"을 기반해 "모두의 마블 2: 메타월드"를 글로벌 시장에 출시하였다. 블록체인 기술을 적용한 Web 3.0 게임인 "모두의 마블 2: 메타월드"는 누적 다운로드 2억 건을 돌파한 넷마블 대표 IP(지적재산)인 "모두의 마블"의 정식 후속작으로 넷마블의 블록체인 자회사인 마브렉스가 개발한 마브렉스(MBX) 생태계를 연동하였다.

메타월드는 메타버스 기반 부동산 보드 게임으로 뉴욕 맨해튼 등 주요 도시의 실제 지적도를 바탕으로 토지 보유, 건물 건설, 업그레이드 등의 콘텐츠를 즐길 수 있으며, 플레이어에게 소유권을 주는 방식을 채택하여 도시 내에

나만의 건물을 만들어 수익을 얻을 수 있고, 거래 가능하도록 게임 내 경제 생태계를 구축하였다.

출처 : 넷마블, 모두의 마블2: 메타월드

넥슨(Nexon)은 전세계 1억 8000만 이용자를 보유한 메이플 스토리를 기반으로 Web 3.0 게임 생태계인 메이플 스토리 유니버스를 구축하고 있다.

메이플 스토리는 NFT가 중심이 되어 다양한 유무형 가치를 만들어내는 가상 세계이며, 메이플 스토리 유니버스에서 사냥이나 퀘스트 등을 수행하고, 미션을 완료함으로써 생성되는 모든 NFT를 플레이어에게 디지털 소유권을 제공하고 가상 세계 생태계 공간안에서 자유로운 거래와 이전이 가능하도록 설계되었다. 블록체인 요소를 접목시킨 메이플 스토리 N은 성공한 게임을 더욱 지속 가능하게 만들기라는 명확한 목표를 가지고 시작된 프로젝트로, 메이플 스토리 생태계에서 크레이어터들에게 기여도에 따라 보상을 분배하고 자신들의 보상을 플레이어에게 나눠줄 수 있는 게임 내 경제 생태계를 구축하는 것이다.

2024년 들어서 넥슨은 Web 3.0 게임에 대한 여정을 본격화면서 개발에 더욱 박차를 가하고 있다.

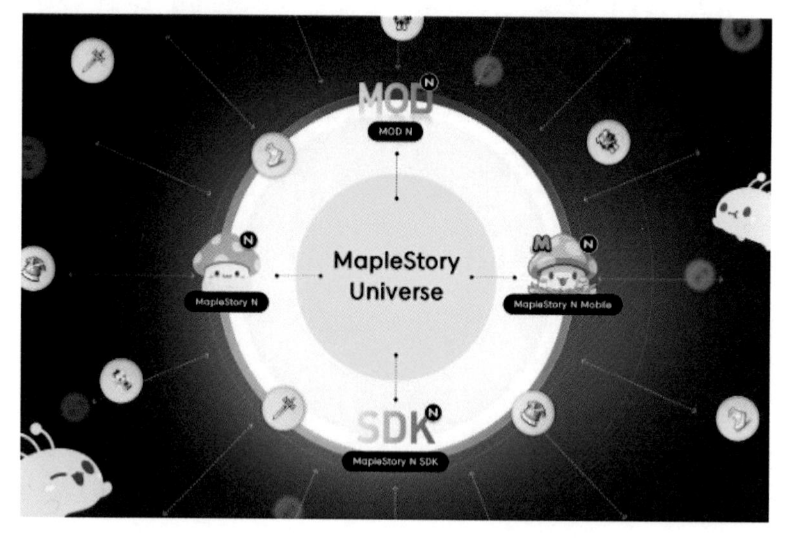

출처 : 넥슨, 메이플 스토리 유니버스

위메이드 자회사인 위메이드 플레이는 애니팡 IP를 기반으로 한 Web 3.0 게임을 단계별로 출시하고 있다.

2023년 3월 첫 Web 3.0 게임인 "애니팡 매치"를 선보인데 이어 애니팡 코인즈, 애니팡 블라스트를 글로벌에 출시하였으며 (2023.6), Web 3.0 게임 시장 진출 4개월 만에 애니팡 IP를 활용한 블록체인 게임 3종 라인업을 완성한 것으로 한국, 중국 등 일부 Web 3.0 게임을 금지하는 국가를 제외하고 글로벌 시장에 출시하였다.

출처 : 위메이드 플레이, 애니팡 블라스트

세번째 Web 3.0 게임인 애니팡 블라스터는 2개의 블록을 격파하는 2 매치 모바일 퍼즐 게임으로 블록을 밀고 끄는 드래그 방식이 아닌 터치 플레이를 적용하였으며, 퍼즐 플레이로 획득한 점수로 글로벌 랭킹을 매기고 주간 단위

이벤트 4종과 매일 바뀌는 일일 미션, 룰렛 블라스터 등 미션과 경쟁에 따른 보상이 제공되는 모델을 채택하였다.

WEB 3.0 게임의 과제

Web 3.0 게임은 게임 플레이 없이 데이터를 온체인에 저장하는 효율적인 방법이 아직 미흡한 수준으로 사용자에게 부과되는 이더리움 수수료인 가스(Gas)를 통한 처리 수수료가 높고 확장에 대한 과제에 직면하고 있다.

게임을 배포하는 핵심 기술인 블록체인은 게임을 구현하는데 매우 중요하지만, 높은 수준의 게임 플레이어가 부족하고 블록체인의 확장성에 문제가 있으며, Web 3.0 게임에 대해 여전히 대중의 수요가 부족하고 개발자에게 할당된 리소스가 부족하여 전통적인 AAA 게임과 경쟁을 해야 하는 상황이다.

Web 3.0 게임 시장은 가격 책정과 채택 측면에서 정체되어 있으며, 기존 게임 또한 감소하고 있는 추세로 Web 3.0 게임이 성공하려면 게임이 만들어 내는 게임 플레이어와 흥미로움이 플레이어를 게임을 즐기도록 유도해야 하며, 블록체인과 디지털 자산이 제공하는 새로운 측면이 플레이어를 계속 게임 내에 머물게 해야 한다.

Web 3.0 게임을 플레이어가 플레이기 하기 위해서는 기존에 경험하지 못했던 소셜 로그인과 6자리 PIN Code를 이용한 시드 문구가 없는 간편한 로그인과 블록체인을 모르는 유저도 알 수 있는 쉬운 UI/UX를 제공해야 하며, In-Game 지갑으로 게임 내에서 재미를 즐길 수 있게 해야 하는데, 이러한 게임 플레이어의 기대감을 충족시키기 위한 Web 3.0 게임 컨셉에 맞는 수준을 보장해야 한다.

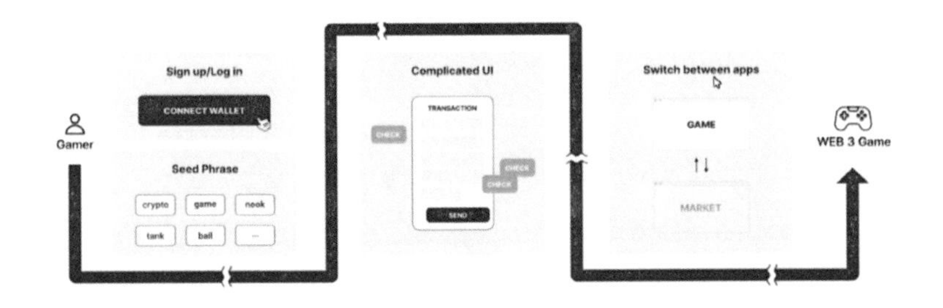

출처 : Haechi

Web 3.0 게임이 디지털 자산의 대량 채택 측면에서 실질적인 촉매제가 될 수 있다고 하지만, 품질이 낮은 게임 플레이, 확장성 문제, 대중 관심 부족, 개발 리소스 부족에 대한 과제를 해결 해야지만, Web 3.0 게임이 활성화 될 수 있는 기반을 마련할 수 있다.

Web 3.0 게임은 온보딩과 열악한 게임 플레이어 문제와 게임 규제로 인해 성장의 저해를 받고 있는 상황으로, 기존 게임 스튜디오의 NFT에 대한 금지와 모든 플레이어가 NFT에 엑세스할 수 없기 때문에 NFT가 게임의 포괄적인 커뮤니티 경험에 잠재적으로 영향을 미칠 수 있다는 점을 우려하고 있으며, 국내에서도 NFT 게임의 사행성을 이유로 금지하겠다는 입장을 표명한 바 있다.

Web 3.0 게임의 초기 모델로 많이 활용되고 있는 P2E 모델은 플레이어들의 대부분이 게임 자체보다는 암호화폐의 수익성으로 인해 유입되었으며, 게임에 대한 평가가 게임성이 아닌 연관 가상자산의 가치를 통해 이루어지고 있다는 것이다.

기존 P2E 게임들처럼 채굴과 수익을 위한 게임을 만들고 토큰을 상장하는 구조에서 벗어나, 기존 게임이 추구하는 탄탄한 로열티 플레이어 층과 게임성을 가진 게임 내 경제시스템을 유지한 상태로 아이템을 NFT화하여 그 가치를 보장해 주는 방식으로 전환이 필요하다.

이러한 문제점을 보완하기 위해 P2E 모델에서 진화하여 실질적인 오락적 가치를 제공하고, 지속 가능한 개방된 게임 경제를 만드는데 집중할 수 있는 P&E(Paly-and-Earn) 모델이 대안으로 부상하고 있다. P2E 게임과 마찬가지로 P&E 게임의 유저들은 자신이 벌어들인 NFT와 토큰을 Web 3.0 지갑으로 직접 추가할 수 있으며, P2E 모델과는 달리 대부분의 P&E 게임은 부분 유료화 된 F2P 게임 형태를 채택하고 있다.

플레이어는 스킬을 늘리거나 NFT나 토큰 등의 자산을 구입함으로써 보상을 얻을 수 있으며, 게임 플레이를 통해 가치를 구축하는 것을 목표로 하고 있다. 플레이어가 게임을 계속해서 플레이하면서 게임 내에서 소비할 수 있는 보상을 얻기 위해 노력하도록 장려하는 것으로, P&E 게임에서는 플레이어가 토큰을 벌어들여 특별한 능력을 활성화하는 캐릭터 NFT를 구입할 수 있다.

구매한 NFT는 2차 시장에서 사용하거나 게임 외부에서 판매할 수 있도록 지원하고 있지만 게임 내의 보너스 또는 업그레이드를 위해 소비함으로써, 게임 플레이를 보다 즐겁고 보람찬 경험으로 만드는데 사용될 가능성이 높은 구조로 인해 P2E 모델보다는 P&E 모델을 채택하는 Web 3.0 게임이 많아지고 있다.

블록체인 기반 게임 모델
플레이 및 적립 (Play-and-Earn) : P&E 게임은 무료로 플레이할 수 있고 엔터테인먼트 가치가 높으면서도 사용자가 자산을 획득하고 소유할 수 있는 기능을 가진 모델

출처 : ironSource

WEB 3.0 게임의 미래 시사점 및 전망

Web 3.0 게임은 토큰 경제학의 잠재적 발전과 영향을 받는 구조로, 가상 자산이 게임 내에 도입되면서 엄청난 변화를 일으키고 있으며, 토큰 외에도 플레이어에게 소유권을 부여하고 가상세계를 형성하는데 중추적인 역할을 부여할 수 있다.

기존 게임의 폐쇄형 시스템에서 상호 연결된 경제로의 발전은 플레이어 참여와 게임 경험을 재정의하고 있으며, 상호 운용성, P2E 모델 도입과 광범 위한 메타버스의 발전은 커뮤니티 중심 혁신으로 촉진되는 시대로 발전하고 있다.

Web 3.0과 토큰 경제학이 개인이 디지털 내러티브를 만들 수 있도록 지원하는 플레이어 중심의 게임 환경을 제공하고 진화하는 디지털 영역 내에서 공동 창작과 몰입형 경험으로 정의하여 권한 부여, 혁신, 무한한 지평을 기반으로 새로운 게임 시대의 시작을 열고 있다.

Web 3.0 게임은 블록체인 기술을 채택하여 더 많은 관심을 불러 일으킬 뿐만 아니라 암호화폐라는 새로운 토큰을 Web 3.0 게임을 통해서 관심을 불러일으켜 기존의 암호화폐 시장에도 영향을 끼칠 것으로 예상된다. 이와 더불어 게임 내 자산을 토큰화를 통해 실제 자산이나 경험을 Web 3.0 게임 내 경제의 범위를 확장하는 것을 구상할 수 있다.

메타버스의 가상 경제의 부상으로 인해, 광범위한 메타버스와 상호 연결된 가상 경제의 출현을 예측하여 게임과 디지털 소셜 경험 간의 경계가 무너지게 될 것이며, 상호 운용성의 발전으로 다양한 게임과 플랫폼 간의 원활한 자산 전송을 허용하고 더욱 밀접하게 연결된 게임 생태계가 성장할 것이다.

분산형 거버넌스 모델을 통해 플레이어에게 더욱 정교한 의사결정 도구를 제공하고 게임 개발에 더 큰 영향력을 끼쳐, 플레이어와 게임 업체 간에 상생의 관계와 게임을 성장시키는 장이 만들어지게 될 것이다.

Web 3.0 게임은 플레이어가 플레이하는 방법 뿐만 아니라 디지털 세계를 소유하고 신뢰하며 재구성하는 방법을 재정의 되고 있으며, 메타버스 개념이 성장함에 따라 가상자산을 검증하고 거래하는 블록체인의 역할은 게임, 엔터테인먼트와 디지털 재산권을 연결하는데 있어 매우 중요해 질 것이다. Web 3.0 게임에서 인공지능(AI)가 뜨거운 화두로 AI를 사용하여 NPC 캐릭터는 더욱 다양한 대화와 매력적인 상호 작용을 할 수 있으며, 의사 결정도 개선할 수 있다.

현재의 Web 2.0과 Web 3.0 게임이 구분되어 있지만, 새로운 게임과 기존 게임 간의 원호라하게 통합되고 기존 플레이어의 관심을 끌 수 있도록 균형을 유지하기 위해 노력하고 있음으로 인해 기존 게임 영역에서 자리매김하면서 새로운 게임의 장을 열게 될 것이다.

지난 2년 동안 지속적인 개발을 통해 2024년에는 대규모 Web 3.0 게임 히트작이 나오기 시작하면서 수백만형의 새로운 플레이어를 Web 3.0 게임으로 끌어들이고 도미노 효과가 발생할 가능성이 높으며, 더 많은 게임이 블록체인을 채택함에 따라 개발자와 플레이어가 모두 이익을 얻을 수 있는 토크노믹스 경제 환경으로 전환 될 것이다.

여러 면에서 Web 3.0 게임을 위한 기존 기술과 사회적 인프라는 기존 게임 산업보다 훨씬 더 폭발적인 채택을 위한 준비가 되어 있으며, 전통적인 게임 산업과 블록체인 기술을 기반으로 차세대 게임인 Web 3.0 게임은 새롭고 지속 가능한 모델을 적극적으로 구축하고 있다.

Web 3.0 게임을 포함한 게임의 근본적인 목적은 즐거움을 제공하고 많은 플레이어들이 참여하도록 하는 것으로 블록체인 기술을 활용하는 게임 모델을 주도하는 것은 P2E 게임 보다는 P&E 게임 모델이 될 가능성이 높으며, 오락적 가치와 블록체인 소유의 이점을 모두 제공하면서, 게임 내에서 자산을 소비사는 수요를 이끌어 낼 수 있을 것이다. 플레이어가 온전히 소유하는 보상을 벌어들이는 한편 게임 플레이 경험을 개선하기 위한 게임 내의 지출을 독려하는 선순환 생태계를 구축할 수 있으며, P&E 게임 모델의 게임 경제가 올바르게 시행되고 원호라하게 작동한다면, 게임 기획, 수익화, 마케팅을 위한 더욱 많은 기회가 창출될 수 있을 것이다.

Web 3.0 게임 영역은 기술이 발전하고 많은 투자자와 기업들의 관심이 높아짐으로 인해 2027년 까지 70.3%의 연간 성장률을 기록하며 폭발적인 성장을 이어갈 전망이며, 2030년 까지 700억 달러 이상의 규모로 성장할 것으로 예상하고 있다.

다양한 블록체인 플랫폼 중 이더리움이 가장 큰 시장 점유율을 차지할 것으로 전망되며, 이더리움외 폴리곤, 솔라나와 더불어 2022년 2월 바이낸스

체인과 바이낸스 스마트 체인이 합병하여 설립된 BNB 체인으로 게임파이(GameFi)가 Web 3.0 게임에 빠르게 도입되면서 Web 3.0 게임 영역이 확대될 것으로 보고 있다.

Web 3.0 게임 시장은 Web 3.0과 더불어 게임 산업 성장과 이에 따른 풍부한 리소스 유입, 커뮤니티 활성화로 인해 지속적인 성장세를 유지할 것으로 예상된다.

Web 3.0 게임은 지속 가능한 게임 내 경제 모델을 갖춘 형태로 품질 향상이 되면서 개선되는 형태로 발전 될 것이며, 기존 게임 업계의 참여 증가로 풍부한 리소스를 활용할 수 있는 기반이 마련되게 되고 새로운 인센티브 모델은 플레이어가 게임 내에서 소유권을 가지고 있는 더 좋은 커뮤니티 지향적인 게임 형태로 진화할 것으로 전망된다.

제 12 장

Web 3.0 기반 메타버스(Metaverse)

Web 3.0 기반 메타버스 228
Web 3.0 기반 메타버스 추진 사례 230
Web 3.0 기반 메타버스 동향 235
Web 3.0 기반 메타버스 활용 사례 237

제 12 장 Web 3.0 기반 메타버스

Web 3.0 구성 요소 중에 하나인 메타버스는 누구나 탐색에 사용할 수 있는 3차원 버전의 차세대 인터넷과 탈중앙화 블록체인 네트워크 기반으로 작동하는 가상세계이다.

메타버스(Metaverse)는 가상과 초월을 뜻하는 메타(Meta)와 현실세계를 의미하는 유니버스(Universe)의 합성어로 현실과 연결된 가상세계를 의미한다.

메타버스는 코로나 팬데믹 상황에서 비대면 문화가 빠르게 확산되면서 크게 성장한 영역이지만, 메타버스는 이전에 서비스가 존재했던 영역으로 2023년에 린든랩(Linden Lab) 이라는 회사가 세컨드 라이프(Second Life) 서비스를 오픈하면서 메타버스 서비스가 시작되었으며, 다음 카페나 싸이월드, 프리첼과는 달리 가상의 공간을 이동하며 아바타를 자신이 원하는 모습으로 치장한 사람들을 만나면서 대화하고 현실처럼 다양한 활동을 할 수 있도록 한 서비스이다.

싸이월드 도토리처럼 린든 달러(Linden Dollar)라는 가상화폐가 있어 서비스내에서 디지털 오브젝트를 만들어 팔고 살 수 있는 거래까지 가능한 수준이었지만, 가상의 공간을 이동하면서 다양한 경험을 하는 입체적인 서비스를 구현함에 있어 당시의 컴퓨터 성능과 네트워크 속도의 한계에 직면하게 되어 활성화 되지 못하였으며 지속적으로 서비스를 사용하게 할 원동력이 부족하였다.

출처 : 세컨드 라이프 (Second Life)

2020년에 접어들며, 강력한 컴퓨팅 파워와 빠른 인터넷 속도 그리고 컴퓨터 성능의 경량화 된 스마트폰의 등장으로 인해, 아바타, 창작 및 거래 활동이 현실과 비슷한 수준으로 가능한 환경이 조성되면서 이를 기반으로 다양한 서비스가 출시 되기 시작하였으며, 기술의 발전으로 VR, AR 기술이 접목되면서 보다 더 현실감과 현실세계와 접목된 서비스 제공으로 영역이 확대되었다.

메타버스(Metaverse)에 블록체인 기술이 접목되면서 메타버스에선 경제 활동의 범위가 크게 확장할 수 있게 하고, 가상세계 내에서 자산에 대한 소유권을 증명할 수 있는 기반을 마련하게 되었다.

블록체인 기반 메타버스에서 모든 거래는 블록체인 분산원장에 저장되기 때문에 거래 수단도 블록체인 기반 가상자산을 활용하는 구조로 전환되었으며, 메타버스 내의 모든 거래 수단을 위한 가상자산은 NFT가 아닌 유틸리티 토큰이며, 토큰으로 NFT를 포함한 아이템을 사고 팔 수 있게 되었다.

토큰을 얻는 방법은 메타버스 내의 다양한 활동과 이벤트 참여에 대한 대가로 토큰을 얻을 수 있으며, 해당 토큰이 가상자산 거래소에 상장된다면 사용자들은 게임 내에서 얻음 토큰을 외부로 가져가 수익을 얻을 수 있다.

WEB 3.0 기반 메타버스 추진 사례

실제로 더 샌드박스(The Sandbox)는 가상자산 샌드(SAND)와 디센트럴랜드(Decentaland)의 가상자산 마나(MANA)는 모두 가상자산 거래소에 상장되었으며, 자체 발행한 가상자산 기반으로 메타버스 내에서 경제구조를 구축하고 사용자들에게 재미와 수익을 얻을 수 있는 구조를 제공하였다.

Web 3.0 기반 메타버스에서 대표적으로 언급되는 더 샌드박스(The Sandbox)는 현실과 유사하게 랜드(Land)라는 가상 부동산을 소유할 수 있고, 가상세계 내에서 게임 에셋(자산)을 조합해 쉽게 자신만의 세계를 구현할 수 있도록 지원하고 있다.

출처 : The Sandbox

게임 내 부동산 랜드(Land)는 NFT이며, 플레이어들은 디지털 레고인 복셀(Voxel)을 이용해 콘텐츠를 제작할 수 있고 이 콘텐츠를 NFT로 변환해 소유권을 보장받을 수 있다. 더 샌드박스(The Sandbox) 에서는 랜드(Land)로 이루어진 지도를 기반으로 랜드(Land)를 보유한 소유권자들이 각자의 로고를 활용해 영역을 표시하고, 소유권 정보는 블록체인 인프라 기반의 분산원장에 저장되어, 언제든지 필요에 따라 소유권을 증명할 수 있는 방식을 채택하고 있다.

더 샌드박스(The Sandbox)와 경쟁에 있는 디센트럴랜드(Decentraland)는 더 샌드박스와 유사한 모델을 도입하였으며, 토지(랜드)가 NFT 형태로 토지를 소유한 이용자는 해당 토지에 건물을 지울 수 있는 서비스로 토지는 희소성이 있으며 가치를 지니고 있어, 가격이 수요자에 따라 변동되는 방식으로 게임 내 마켓플레이스에서 토지를 거래할 수 있다. 디센틀러랜드에서 판매되는 부동산과 아이템 등은 마나(MANA) 라는 토큰을 통해 구매가 가능하다.

출처 : 디센트럴랜드(Decentraland)

메타버스와 블록체인이 잘 조합이 되는 이유는 희소성이 있는 상품이 가장 빛을 발할 수 잇는 곳이 메타버스이며, 메타버스 내에서 경제활동이 이루어지려면 모든 재화가 희소성이 잇어야 하고 희소성에 따라 수요가 창출되어야 함으로, NFT를 활용하여 그 자체로 희소성을 가지고 블록체인 상에서 증명할 수 있어, 아이템에 대한 소유권을 위변조가 불가능한 분산원장인 블록체인에 저장하여, 어디서나 해당 아이템이 자신의 소유임을 증명이 가능하기 때문이다.

메타버스는 디지털 공간으로 공간의 모든 요소는 디지털 아바타, 메타버스의 토지나 기타 디지털 아이템 등을 NFT를 통해 소유할 수 있으며, 플레이어의 아바타는 메타버스의 모든 디지털 상호 작용에서 일관되게 사용할 수 있다. 디지털 토지는 NFT에서 임대할 수 있는 권리와 메타버스 영역에 대한 엑세스를 포함하여 더 많은 NFT 유틸리티에 활용할 수 있으며, 특정 가상세계의 경제가 암호화폐와 대체불가능 토큰(NFT)을 기반으로 동작하는 방식이다. 사용자는 가상세계에 들어갈 때, 블록체인 지갑을 연결하고 블록체인 지갑에 저장된 모든 자산은 검증될 수 있으며, 호환 가능한 경우 디지털 형식을 취하거나 특정 권한을 부여할 수 있으며, 가상세계에서 얻은 자산과 디지털 토큰은 자동으로 해당 지갑에 전송되고 자산의 소유권을 증명하는 증거가 될 수 있다.

Web 3.0를 기반으로 블록체인과 연동하여 상호 운용 가능한 메타버스를 가능하게 하여 사용자가 자산을 다른 가상세계로 가져갈 수 있는 잠재력을 가지고 있으며, 가상자산과 더 많은 분산된 전력이 메타버스에 참여하는 최종 사용자와 기업에 도움이 될 수 있다.

Web 3.0과 메타버스(Metaverse)는 모두 분산 시스템이며, Web 3.0는 블록체인 기술을 활용하여 분산형 웹을 제공하며, 메타버스는 분산형 네트워크에서 작동하는 가상세계로 보다 몰입감이 있고 사용자 중심적인 경험을 제공한다.

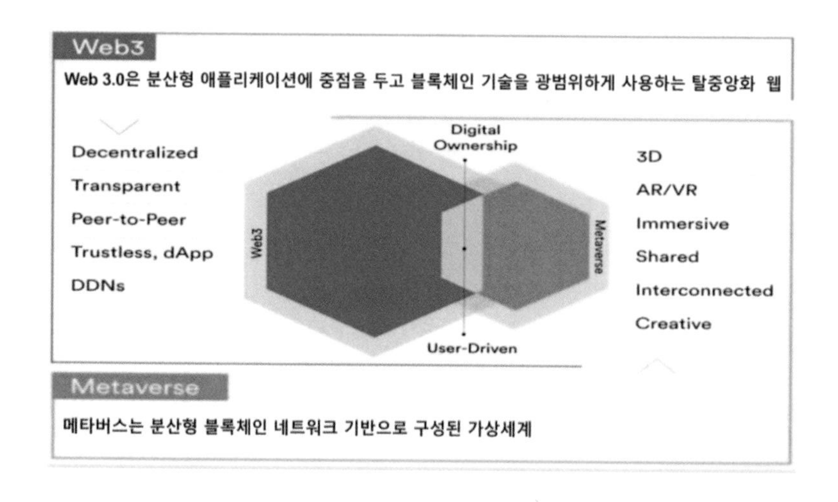

출처 : Blockchain Council

사용자 중심적인 경험의 연속성 관점에서 Web 3.0 기반의 메타버스는 탈중앙화 자율조직(DAO)의 규칙 기반으로 거버넌스의 단일 권한 없는 탈중앙화 체계와 고유한 유형 및 무형의 다양한 항목을 나타내는 디지털 자산을 활용하여, 물리적 디지털 자산 설계와 판매부터 물리적 자산과 디지털 자산을 사고 팔 수 있는 디지털 단위로 변환할 수 있다.

암호화폐가 유통되는 분산형 금융(DeFi) 채택을 통해 플레이어가 소유하고 있는 토큰을 예치를 통해 추가적인 수익과 탈중앙화 자율조직(DAO)의 커뮤니티에서 참여할 권한과 의사결정을 의한 투표에 참여가 가능하다.

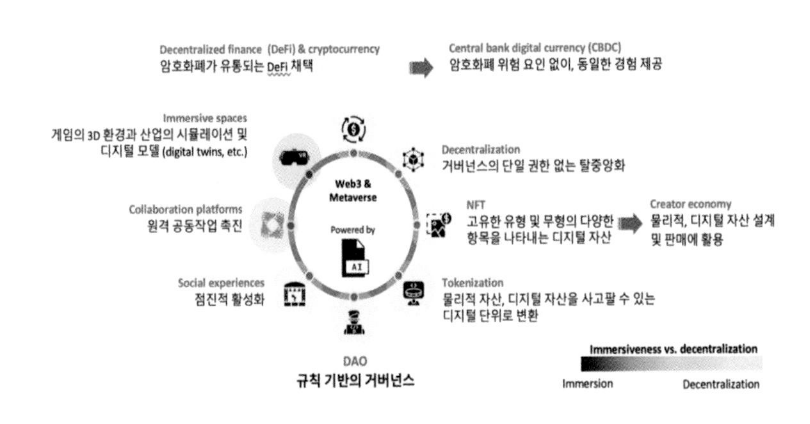

출처 : Arthur D.Little

WEB 3.0 기반 메타버스 동향

메타버스는 무엇보다 혁신적인 브랜드 이미지를 강화하거나 신제품 출시에 새로운 경험을 제공하는 수단으로 활용할 수 있으며, 다양한 산업 영역에서 도입되고 적용되고 있는 상황이며, 이중에 특히 자동차 산업에서 수년동안 자동차 브랜드 성장에 대한 관심과 투자가 증가하고 있다.

Web 3.0 / 메타버스에서 활성화된 자동차 브랜드 현황

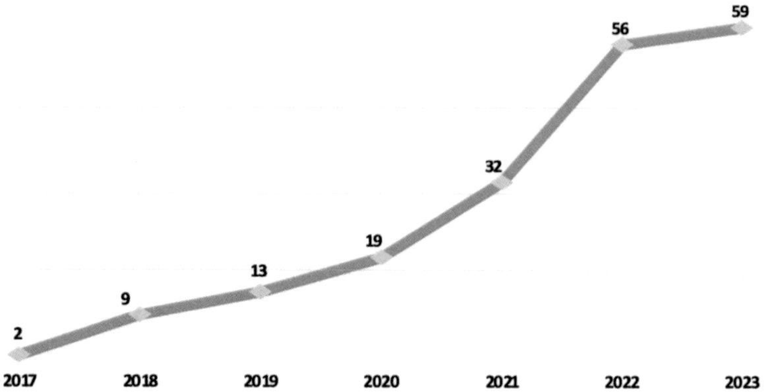

2 9 13 19 32 56 59

2017 2018 2019 2020 2021 2022 2023

출처 : LABS3.io, Web3/Metaverse Automotive Data Report (2023)

Web 3.0 / 메타버스 영역에서 가장 활동적인 상위 5 자동차 그룹

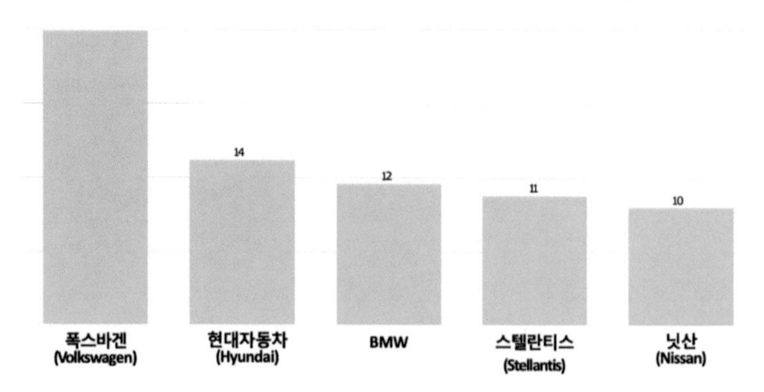

출처 : LABS3.io, Web3/Metaverse Automotive Data Report (2023)

자동차 산업에서 폭스바겐, 현대, BMW, 닛산, 도요타 등을 포함한 자동차 브랜드(Automotive Brands)는 Web 3.0과 메타버스에서 가장 활발하게 새로운 기술과 플랫폼을 탐색하기 위한 투자를 하고 있다.

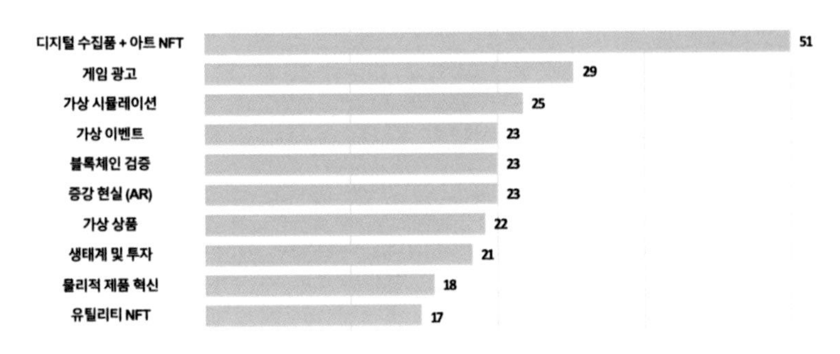

출처 : LABS3.io, Web3/Metaverse Automotive Data Report (2023)

자동차 브랜드가 채택한 최고의 솔루션과 비즈니스 사용사례는 사용자 참여, 브랜드 인지도, 실제 경험 향상, 생산성과 효율성 향상이 포함된다.

WEB 3.0 기반 메타버스 활용 사례

Web 3.0 영역에서 메타버스 활용은 다양한 산업 분야에 있는 기업과 브랜드가 사용자 참여 유도와 새로운 고객 경험을 제공하여 자신의 브랜드 이미지를 홍보하고 로열티를 확보하는 차원에서 적용하고 있다.

구찌(Gucci)는 Web 3.0과 메타버스를 적극적으로 활용하는 대표적인 기업으로, 메타버스의 대표적인 기업인 더 샌드박스(Teh Sandbox)와 협업을 통해 더 샌드박스의 가상세계에서 구찌 브랜드를 경험할 수 있는 가상공간을 구축하였다.

구찌는 더 샌드박스에서 토지를 구매하고, NFT와 크립토를 이용한 구찌 볼트 랜드(Gucci Vault Land)를 출시하였으며(2022.2월), 대체불가토큰(NFT) 상품과 빈티지 백 등의 아이템을 진열한 "구찌 볼트(Gucci Vault)" 테마 경험 공간을 구입한 가상토지에 구축하였다.

출처 : Gucci valut

구찌는 패션 중심 메타버스 공간 외에도 더 샌드박스 플레이어가 게임 가상 현실에서 구매하고 착용할 수 있는 패션 아이템도 출시하였으며, 구찌 볼트(Gucci Vault)의 커뮤니티를 위한 혜택의 일환으로 Web 3.0 지갑에 수퍼 구찌(SUPERGUCCI)나 구찌 그레일 NFT와 같은 구찌 볼트 NFT 컬렉션을 소지한 소유자에게 구찌 볼트 Aura NFT를 제공하였다.

구찌는 메타버스 영역에서 플레이어와 일반 소비자들에게 구찌의 새로운 고객 경험을 지속적으로 제공하고 발전시키기 위해, 더 샌드박스와 협업을 통해 구찌 코스모스 랜드를 2023년 11월 8일에 구축했다.

출처 : Gucci Cosmos Land

구찌 코스모스 랜드(Gucci Cosmos Land)는 런던에서 열린 구찌 아카이브 전시회에서 영감을 받은 몰입형 체험 공간으로 더 샌드박스의 플레이어는 브랜드의 핵심 가치, 예술적 영향력, 혁신 정신을 구현하는 코스모스 랜드 내의 다양한 경험을 탐색할 수 있으며, 코스모스 랜드의 출시는 혁신에 대한 구찌의 헌신과 창의적인 표현을 위한 새로운 캔버스로서 메타버스를 포용하는 구찌의 의지를 보여주는 사례이다.

삼성전자는 대표적인 메타버스인 디센트럴랜드(Decentraland)와 파트너십을 맺고 뉴욕 맨허튼에 위치한 플래그십 매장인 삼성 837 이름을 딴 "삼성 837X" 가상 매장을 구축하였으며, 가상 매장의 방문객은 디지털 여정을 통해 자신만의 NFT 아트워크를 만들 수 있다.

삼성 837X 매장에는 커넥티비티 극장(Connectivity Theater), 지속가능한 숲 등이 마련되었으며, 사용자는 가상세계에서 대체불가능토큰(NFT) 배지를 얻기 위한 모험을 즐길 수 있다. 커텍티브 극장과 삼성전자, 베리트리가 공동으로 진행하는 맹그로브 숲 복원 프로젝트를 경험할 수 있는 지속가능성 숲(Sustainability Forest), DJ 감바바이브가 진행하는 혼합 현실 라이브 댄스파티가 열리는 커스터마이제이션 스테이지(Customization Stage)로 구성되어 있다.

삼성전자의 메타버스내의 가상 매장은 가상 공간내에서 오프라인 매장에서 경험하지 못한 색다른 경험을 고객에게 제공하여 삼성전자의 브랜드 이미지를 제공하는 수단으로 활용하였으며, TV 라인업에 NFT를 적용하고 사고 팔기가 가능한 NFT 거래 기능을 제공하여 고객과 플레이어에게 재미를 더 하였다.

출처 : Samsung, Decentaland

브랜드 기업 외에 금융권도 Web 3.0 기반의 메타버스 영역에 진출하기 시작하면서 메타버스 기업과의 협업을 가속화하고 있다.

대표적인 글로벌 은행인 HSBC는 금융기관이 스포츠, e-스포츠 및 게임 팬들과 소통하는데 사용될 경기장을 더 샌드박스(The Sandbox)와의 파트너십을 통해 메타버스내에 구축했다.

출처 : HSBC, Cointelegraph Research

JP모건(JP Morgan)도 Web 3.0 기반 메타버스 영역에 진출하면서 디센트럴랜드에 라운지를 구축했으며, 기관과 기업이 메타버스에 들어갈 수 있는 블록체인 유닛인 Onyx를 출시했다. JP모건 라운지는 메아티우쿠 지구에 위치하며 이용자는 전문가가 금융 시장에 대해 이야기하는 것을 볼 수 있는 토코이의 하라주쿠 쇼핑지구의 가상 버전 형태이다.

출처 : JP Morgan, Cointelegraph Research

기업이나 브랜드는 Web 3.0 기반의 메타버스를 브랜드 이미지 제고와 새로운 고객 경험을 제공하는데 활용하고 있지만, 메타버스가 Web 3.0의 가장 중요한 사용 사례 중 하나로 인식될지 여부는 개방적이고 공유되며 분산된 가상환경에 크게 좌우되고 있으며, 페이스북, 구글, 에픽 게임즈(Epic Games) 등과 같은 기술과 상업 산업에서 가장 잘 알려진 수많은 비즈니스는 Web 3.0 원칙이 다양한 메타버스 응용 프로그램에서 얻을 수 있는 이점을 제공할 수 있다.

제 13 장

Web 3.0 기반 인공지능(AI)

Web 3.0 기반 인공지능 246
Web 3.0 기반 인공지능 적용 영역 248
Web 3.0 기반 인공지능 채택 및 과제 257

제 13 장 Web 3.0 기반 인공지능(AI)

Web 3.0에서 가장 흥미로운 발전 중 하나는 인공지능(AI)의 출현으로 2024년의 가장 유망한 트랜드 중 하나이며, 중요한 차세대 기술 변화로 인식되면서 클라우드,, 인공지능(AI)와 블록체인 간에 서로를 기반으로 구축되면서 시간이 지남에 따라 복합화 할 수 있는 형태로 발전하고 있다. 블록체인은 인공지능(AI)를 위한 신뢰할 수 있는 데이터 소스 역할을 하며 중개자 없이 데이터의 신뢰와 개인정보 보호를 강화할 수 있으며, 기업과 지역 전반에 걸쳐 컴퓨팅 성능과 스토리지의 분산화를 촉진할 수 있다.

인공지능(AI)은 분산형 네트워크와 애플리케이션에 혁명을 일으키고, Web 3.0 기술의 대규모 채택을 촉진할 수 있는 잠재력을 가지고 있음으로 인해, Web 3.0 구성 요소에 중요한 역할을 담당한다.

인공지능(AI)은 스마트 계약을 통해 동적 온체인 데이터를 기반으로 결정을 내리고 새로운 기능을 생성할 수 있으며, 블록체인과의 결합을 통해 영지식 기계 학습 (Zero-Knowledge Machine Learning, ZKML) 기반 솔루션과 같은 주요 산업 데이터와 정보 보안 발전으로 이어질 수 있다.

블록체인과 인공지능(AI) 분야의 연구개발 활동은 지난 5년 동안 지속적으로 증가하면서, 6,900개의 Gthub 리포지토리와 539,000개의 Github 풀 요청, 1,500개의 특허 출헌 그리고 연구 출판물 5,600개로

인공지능(AI) 온체인의 성장 잠재력에 대해 매우 낙관적이다. (2023년 12월 31일 기준)

상위 15개의 인공지능(AI) 관련 토큰의 시가총액은 2023년에 120억 달러에 이르렀으며, 전체 암호화폐 시가총액의 108%에 비해 2023년에는 443%의 인상적인 성장을 보였다.

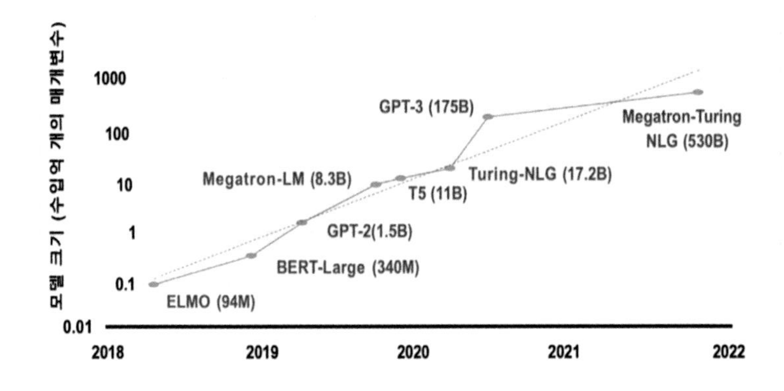

출처 : Nature.com, Gensyn

블록체인과 인공지능(AI) 분야에서 코드 작성 도구, 분산형 데이터 스토리지, 인공지능(AI)를 위한 컴퓨팅 인프라, 콘텐츠 진위성, 개인정보 보호와 인공지능(AI) 지원 Web 3.0 보안 솔루션을 개발하는 새로운 기업들이 나타나기 시작했으며, 인공지능(AI) 기술은 새로운 스타트업 형성을 촉진하는 것 외에도 기존 디지털 자산 회사가 비용을 최적화하고 수익을 늘리며 해자를 구축하는데 도움을 제공할 수 있어 큰 영향을 미칠 수 있다.

Web 3.0과 인공지능(AI)의 협업은 디지털 환경을 재편하는 완벽한 파트너십 관계를 구축할 수 있으며, 인공지능(AI)는 기술 중추 역할을 하여 기계가 데이터를 학습하고 정보에 입각한 결정을 내릴 수 있도록 해주는 역할을 담당한다.

WEB 3.0 기반 인공지능 적용 영역

Web 3.0 프레임워크 내에서 인공지능(AI)는 애플리케이션에서 생성된 방대한 양의 데이터를 분석하는데 탁월하여 사용자 경험을 풍부하게 하는 귀중한 통찰력을 제공하며, Web 3.0 게임, 메타버스와 NFT 중심의 비즈니스의 개발을 위한 중요한 구성 요소로 자리매김 하고 있다.

인공지능(AI)는 인프라 수준인 스마트 계약, 프로토콜, Web 3.0 보안 영역과 분산 애플리케이션에서 블록체인과 통합될 수 있다. 블록체인 인프라 수준에서 인공지능(AI)는 동적 온체인 데이터를 기반으로 결정을 내릴 수 있는 지능형 스마트 계약과 지능형 합의 프로토콜을 생성하여 블록체인 인프라의 핵심요소를 개선할 수 있다.

인공지능(AI) 기반 탐지 시스템을 도입하여 Web 3.0 보안을 강화할 수 있으며, 인공지능(AI) 온체인은 스마트 계약이 기계 학습 모델을 신뢰할 수 없게 쿼리할 수 있도록 함으로써 암호화폐의 설계 기능을 확장 할 수 있기 때문에, 이를 통해 영지식 기계 학습(ZKML)이라는 새로운 기술로 확장시킬 수 있다.

영지식 증명은 공개할 속성을 자유롭게 선택하면서 계산이 올바르게 수행되었음을 증명하는 기계 학습 모델을 만들고 실행할 수 있는 한가지 방법으로 ZKML은 영지식 증명(Zero-Knowledge Proof)과 기계 학습(Machine Learning)이 결합된 단어로 영지식 증명을 활용하여 블록체인에 ML 모델을 도입하는 방법론이다.

ZKML의 기본적인 프로세스는 기계 학습의 연산을 영지식 증명으로 증명하는 것으로 블록체인과 데이터 간의 상호 작용을 가능하게 하는 역할을 하며, 영지식 증명을 기반으로 ML 모델의 Input 데이터나 모델의 가중치를 공개하지 않고도 모델 연산이 올바르게 되었음을 검증할 수 있다. 이러한 인공지능(AI) 모델은 스마트 컨트랙트의 자동화를 통해 효율적인 실행을 할 수 있을 뿐만 아니라 실시간으로 온체인 데이터 기반의 의사결정을 가능하게 하며, 특정 조건이 충족될 경우 스마트 컨트랙트가 실행되거나 학습된 데이터와 알고리즘을 통해 이벤트를 예측하고 선제적인 대응을 할 수 있다.

분산형 애플리케이션 영역에서 분산형 애플리케이션은 온체인 인공지능(AI)기술을 사용하여 블록체인 데이터를 분석하고 패턴을 식별하여 작업과 의사결정을 자동화할 수 있으며, 특히 가치를 창출하고 분산형 금융(DeFi)

애플리케이션, Web 3.0 게임, 메타버스와 NFT 영역을 발전된 형태로 변화시킬 수 있다.

인공지능(AI) 에이전트가 온체인으로 서비스를 제공하면서 대형 언어 모델(Large Language Models[1], LLM)은 은행 계좌에 접근할 수 없지만, 자금이 지원되는 Web 3.0 지갑을 사용하여 쉽게 결제할 수 있으며, 스마트 계약과 분산형 금융(DeFi) 프로토콜과의 상호 작용하는데 적합하다. 인공지능(AI) 온체인은 분산형 네트워크와 애플리케이션 혁명을 일으키고 Web 3.0의 대규모 채택을 촉진할 수 있는 매개체 역할을 할 수 있다.

지능형 스마트 계약 영역에서는 AI 기반 스마트 계약은 정적 규칙 뿐만 아니라 실시간 온체인 데이터를 기반으로 결정을 내릴 수 있으며, 더욱 정확하고 효율적인 결정을 내릴 수 있다. 지능형 스마트 계약은 새로운 연구 영역으로 소수의 초기 단계 수준인 스타트업만이 해당 분야에 활동하고 있으며, 스타트업 중에 오라이체인(Oraichain)은 인공지능(AI) 기반 API를 활용하여 지능형 스마트 계약과 차세대 분산 애플리케이션을 위한 인프라를 구성하였다.

지능형 합의 프로토콜(Intelligent Protocols) 영역에서는 합의 매커니즘은 블록체인의 보안과 확장성을 결정하게 되며, 벨라스(Velas)는 인공지능(AI)

1 대형 언어 모델(LLM)은 주어진 프롬프트에 대해 인과 유사한 응답을 생성하기 위해 방대한 양의 텍스트 데이터로 훈련된 고급 AI 모델

위임지분증명(Delegated Proof-of-Stake[2], DPOS)을 연구하고 아이너리(Inery[3])는 가장 효율적인 순서로 가동시간을 기반으로 블록 검증을 구성할 수 있는 기능을 개발하였다.

Web 3.0 보안 영역에서는 인공지능(AI) 기반 Web 3.0 보안 솔루션은 사이버 공을 탐지하고 블록체인 프로젝트의 보안을 향상시킬 수 있으며, 대부분의 스마트 계약 검사를 수행하는 인공지능(AI) 기반 보안 솔루션은 써틱(Certik[4])과 퀀트스탬프(Quanstamp[5])가 대표적이다. 인공지능(AI) 프로토콜에 대한 인터페이스로 사용하는 것은 높은 잠재력을 갖고 있으나, 암호화폐와 인공지능(AI)를 사용하는데 어려운 부분은 다른 애플리케이션이 의존할 수 있는 신뢰가 보장하는 분산형 단일 인공지능(AI)를 생성하려는 애플리케이션을 개발하는 것이다.

Web 3.0 게임 영역에서는 인공지능(AI)와 메타버스는 사용자 경험의 미래를 더욱 사용자 중심적으로 변화시킬 수 있는 매개체 역할을 할 수 있으며, 사용자 개인정보 보호와 안전은 메타머스에서 인공지능(AI)를 채택할 때 중요한 문제로 Web 3.0 게임과 메타버스에서 인공지능(AI)를 적용하는 사례가 증가하고 있다.

---

2 위임지분증명(DPOS)는 지분증명(PoS)의 변형된 합의매커니즘으로 암호화폐 소유자들이 각자의 지분율에 비례하여 투표권을 행사하여 자신의 대표자를 선정하고, 대표자들 간에 의사결정을 하는 합의 알고리즘

3 아이너리(Inery)는 데이터베이스를 Web 3.0로 마이그레이션하는 분산 데이터 관리 시스템

4 써틱(Cetik)은 블록체인을 위한 보안 인프라로 스마트 계약을 테스트하는 플랫폼

5 퀀트스탬프(Quanstamp)는 스마트 계약의 취약점을 보안 감사하는 프로토콜

인공지능(AI) 적용을 통해 각 플레이어의 대화형 스토리지를 개인화 할 수 있으며, 게임 내에서 플레이할 수 있는 캐릭터인 AI NPC(Non-Player Character)를 개발할 수 있으며, 인공지능(AI)를 활용하여 과거 스토라라인과 게임 사용자 상호 작용을 기반으로 대화형 AI 에이전트를 기반으로 새로운 가상환경을 구축할 수 있다. 퓨처버스(Futureverse[6])는 사용자가 게임세계 전반에서 AI 에이전트와 상호 작용할 수 있는 인공지능(AI) 기반 분산형 플랫폼을 개발하였다.

플레이어와 인공지능(AI)이 협력하는 게임이나 기타 혁신적인 새로운 온체인 게임이 등장할 수 있으며, 신뢰할 수 있는 AI 모델이 NPC 캐릭터 역할을 할 수 있으며, 대표적인 케이스로는 AI 아레나(Arena)는 글로벌 경기장 대회에서 플레이어가 인공지능(AI)기반 NFT를 설계하고 훈련 및 전투하는 웹 P2E(Play-to-Earn) 격투 게임이다.

인공지능(AI)는 게임 상에서 토큰 발행, 공급과 투표 임계값을 조정하여 게임 내 경제의 균형을 동적으로 재조정할 수 있으며, 고객 행동과 선호도 데이터를 분석하여 고객 정서에 직관적으로 대응할 수 있는 개인화된 경험을 제공하는 AI 에이전트를 개발할 수 있다. 대표적인 AI 에이전트로 알레테아(Alethea[7]) AI는 지능형과 대화형 NFT의 성장하는 메타버스를 지원하는 프로토콜이다.

6 퓨처버스(Futureverse)는 인공지능과 메타버스 기반 및 콘텐츠 전문회사

7 알레테아(Alethea) AI는 NFT에 인공지능(AI)를 접목하여 대화형 지능형 iNFT로 변화하도록 설계된 분산형 프로토콜

인공지능(AI)는 NFT 마켓플레이스와 Web 3.0 소셜 네트워크를 통해 사용자에게 보다 개인화된 콘텐츠를 제공하고 보다 관련성이 높은 제품을 추천할 수 있으며, 대표적인 콘텐츠 추천과 타켓 광고 사례로 플라이랩스(PLAI Labs)는 인공지능(AI)와 Web 3.0을 활용하여 차세대 소셜 플랫폼을 구축하였다.

Web 3.0 영역에서의 인공지능(AI)의 역할을 다양한 영역에서 적용할 수 있으며, 새로운 경험과 진보된 환경을 구축하는데 중요한 역할을 담당하고 있다.

Web 3.0에서 최근에 인공지능(AI)의 발전을 주도하고 있는 ChatGPT와 기타 인공지능(AI) 모델의 통합이 더욱 보편하되면서, 새로운 영역을 창출할 수 있는 기회를 제공하고 있으며, Web 3.0과 ChatGPT와의 통합은 새로운 접근 방식을 제공할 매개체로 인식되고 있다. ChatGPT를 통해 스마트 계약을 생성할 수 있고, 이를 통해 스마트 계약 코드를 얻을 수 있으며, 스마트 계약의 보안을 테스트하기 위해 자체 실행 감사 용도로 사용할 수 있을 뿐만 아니라, 계약, 앱, 지갑이나 분산형 금융(DeFi) 프로토콜을 작성하고 상호 작용할 수 있는 기회를 제공할 수 있다.

Web 3.0 영역에서 ChatGPT는 분산형 거래소, 시장, 소셜 미디어와 고객 지원에 통합되어 사용자에게 개인화된 추천 서비스나 거래 실행, 콘텐츠 조정에 활용될 수 있으며, 이와 같은 플랫폼과의 통합을 통해 사용자는 간단한 프롬프트나 쿼리를 기반으로 정보에 입각한 결정을 내릴 수 있으므로 사용자 인터페이스가 보다 효율적이고 간소화될 수 있다.

ChatGPT와 거래소의 통합은 사용자가 간단한 질문을 하고 새로운 거래자가 프롬프트로 응용 프로그램의 작동을 이해하도록 도와 줌으로써, 거래를 하기 전에 자신의 변동성과 과거 성과와 같은 다양한 요소를 분석하는데 중요한 역할을 할 수 있다. 마켓플레이스와 소셜 미디어의 통합은 특정 용어와 유추를 이해하고 이를 바탕으로 정보에 입각한 결정을 내리는데 문제를 해결할 수 있다.

인공지능(AI)는 Web 3.0의 디지털 환경을 재편하는데 완벽한 파트너 역할을 담당할 수 있으며, Web 3.0 프레임워크 내에서 인공지능(AI)는 애플리케이션에서 생성된 방대한 양의 데이터를 분석하는데 탁월한 효과를 발휘할 수 있어, 사용자 경험을 풍부하게 하는데 귀중한 통찰력을 제공할 수 있다.

보안적인 측면에서 블록체인의 암호화 원칙을 활용하는 Web 3.0의 분산형 특성은 데이터 무결성과 보안을 보장하고 인공지능(AI) 알고리즘은 블록체인 기반의 안전한 데이터 인프라를 활용하여 사용자 개인정보를 침해하지 않고 정보를 분석함으로써 신뢰도와 신뢰성을 높일 수 있다.

Web 3.0의 분산형 자율조직(DAO)와 스마트 계약의 출현은 전통적인 비즈니스 모델을 재편하고 있으며, 인공지능(AI)와의 통합을 통해 스마트 계약은 인공지능(AI) 활용하여 통찰력을 기반으로 자율적으로 실행되어 중개자 없이 자체 규제 시스템과 효율적인 의사결정을 위한 기반을 구축하여 자율 시스템을 강화할 수 있다.

인공지능(AI)의 분석 기능과 결합된 Web 3.0의 분산형 ID 솔루션은 개인화에 혁신을 제공하고, 사용자는 자신의 신원에 대한 통제권을 유지할 수 있고, AI 알고리즘은 분산된 데이터를 기반으로 맞춤형 경험에 대해 관리가 가능하여, 사용자 경험을 향상시킬 수 있으며 개인의 개인정보 보호 권리 존중이 가능하다.

인공지능(AI)와 Web 3.0의 융합은 디지털 영역의 패러다임 전환을 의미하며 기술과 상호 작용을 재정의하여 개인과 기업에 힘을 실어주는 동시에 디지털 시대의 개인정보 보호와 보안을 보호할 준비가 되어 있다.

이러한 장점을 가진 인공지능(AI)를 적용하기 위해서 집중해야 되는 영역은 인공지능(AI)와 Web 3.0 통합에 초첨을 맞춘 R&D 이니셔티브에 대한 투자가 중요하며, 새로운 합의 매커니즘을 탐색하여 분산형 환경을 위한 AI 알고리즘을 강화하여 인공지능(AI) 기반으로 구동되는 사용자 중심 분산형 애플리케이션을 개발하는 것이다.

Web 3.0과의 통합을 통한 이점과 복잡성에 대해 커뮤니티를 참여시키고 교육하면 채택과 혁신이 촉진될 것이므로 워크숍, 세미나, 오픈소스 협업

등을 통해 개발자가 탐색하고 창조하도록 장려할 수 있으며, 혁신과 윤리적 고려사항의 균형을 맞추는 규제 프레임워크를 확립하는 것이 필수적으로 정책 입안자, 기술자, 윤리학자 간의 협력은 책임감 있고 포용적인 개발로 이어질 수 있다.

Web 3.0의 구성 요소인 인공지능(AI)를 통해 소비자는 암호화폐 조사, 특히 분산형 금융(DeFi). NFT, 크로스체인 기술 영역에서 스마트 계약의 중추적인 역할을 충분히 인식하고 있으며, 오토트레이스(Auto-Trace) AI는 암호화폐 조사의 80%를 자동화하여 분석가가 보다 복잡한 20%에 집중할 수 있도록 지원함으로써, 생산성을 향상시킬 수 있도록 도와줄 수 있다.

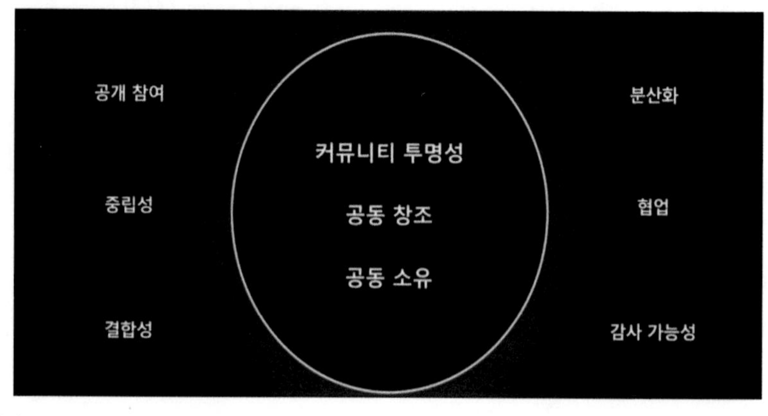

출처 : Dematerialzd.xyz

WEB 3.0 에서 인공지능 채택 및 과제

블록체인과 결합한 인공지능(AI) 도입 시 과제는 주로 확장성, 거버너스 문제로 블록체인 네트워크는 여전히 개발 중이므로, 인공지능(AI)시스템에 필요한 대량의 데이터와 복잡성을 빠르게 처리하지 못할 수도 있다. 하지만 기술이 발전함에 따라 블록체인과 인공지능(AI)는 서로를 보완하고 향상시켜 더욱 다양하고 풍부한 기술 환경을 만들 수 있다.

Web 3.0 맥락에서 영지식(ZK) 기술은 여전히 상당히 새로운 기술이며, 개발자들은 영지식 기술의 현재 문제를 적극적으로 해결하고 있지만, 공간의 혁신적 특성으로 인해 구축할 수 있는 것보다 더 빨리 개념화하는 경우가 많다. 영지식(ZK) 기술 공간도 그 자체가 지나치게 복잡해질 위험이 있는 지점에 이르렀으며, ZK 빌더와 Web 3.0 사용자 사이에 지식 격차가 점점 더 커지고 있는 상황이다.

영지식(ZK) 기술 개발이 직면한 다른 문제는 프로젝트의 무결성을 훼손하지 않고 출시 시간을 최적화하는 것이 포함되는데, 개발자가 이러한 계산을 추가로 증명하려면 도메인별 언어(DSL)를 배워야 하기 때문에 현재의 영지식 증명과 기술에는 접근성이 부족하여 전세계적으로 소수의 사람이나 기업만이 이와 같은 기술에 대한 직접적인 지식을 갖고 있기 때문에 문제가 되고 있다.

조직내에서 인공지능(AI)와 블록체인 기술을 통합하는데 어떤 어려움이 있을 것으로 예상하는지에 대한 설문조사의 차트를 보게 되면, 현재의 시스템과의 통합 문제를 크게 보고 있으며, 그 다음으로 높은 구현 비용을 들고 있다.

블록체인 생태계 내부에서 인공지능(AI)를 적용하거나 암호화와 함께 인공지능(AI)를 적용할 수 있는 기술은 있지만, 인공지능(AI)가 적용되는 방식에서는 종종 고속처리와 짧은 지연 시간의 통신이 필요하며, 이는 처리량이 제한되고 합의 매커니즘이 느린 블록체인 네트워크에서는 확장성을 보장하기 어렵다.

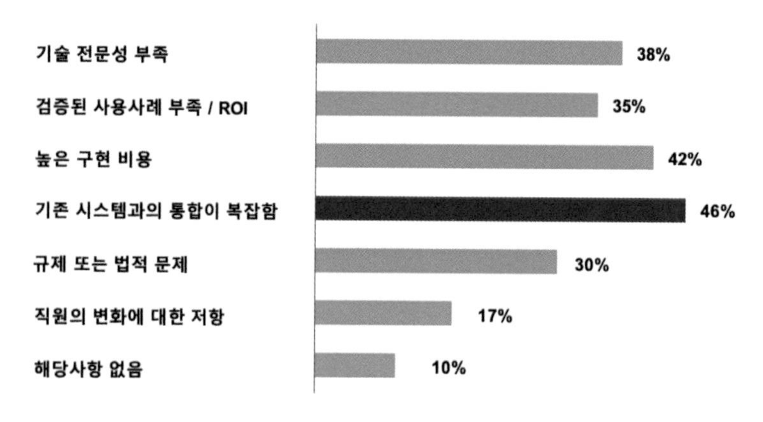

출처 : TenSquared Eesearch Web 3 and Artificial Intelligence : The State of Play

블록체인 네트워크는 많은 기술적인 발전이 이루어지고 있지만, 여전히 개발 중인 영역이 많으므로 인해 AI 시스템에 필요한 대량의 데이터와 복잡성을 처리하지 못할 수도 있으며, 블록체인 기술에 대한 출분한 지식을 갖춘 개발자의 부족은 블록체인과 인공지능(AI) 구현의 주요 장애물 중 하나로 남아 있다.

호환성에 대한 부분으로 인공지능(AI)는 중앙 집중식 서버나 클라우드 플랫폼에 저장되고 처리되는 데이터에 의존하는 반면에 블록체인은 암호화된 블록에 트랜잭션을 저장하고 확인하는 분산형 노드 네트워크 형태이므로, 기존 시스템과의 통합의 복잡성은 블록체인과 인공지능(AI) 기술 구현에 대한 가장 일반적인 과제 중에 하나이다.

접근성에 대한 부분으로 블록체인에는 일반 사용자가 쉽게 채택할 수 있는 직관적인 인터페이스와 명확한 애플리케이션이 부족한 경우가 많지만, 인공지능(AI)는 복잡한 작업을 ChatGPT, 시리(Siri), 알렉사(Alexa)와 같은 사용자 친화적인 애플리케이션으로 패키징 할 수 있다. 인공지능(AI)와 유사한 채택 수준을 달성하려면 블록체인은 사용자 상호 작용을 단순화하는 방법을 찾아야 한다.

거버넌스에 대한 부분으로 AI와 블록체인은 서로 다른 거버넌스 모델을 갖고 있으며, 이는 규제와 통제 방식에 영향을 미칠 수 있다. 인공지능(AI)는 개발자, 소유자, 규제 기관과 같은 중앙 기관의 통제를 받는 경우가 많으며, 이들은 AI의 행동, 목표, 결과에 영향을 미칠 수 있다.

이에 대표적으로 블록체인은 네트워크 참여자가 시행하는 합의 규칙,

인센티브 또는 투표 매커니즘과 같은 분산형 프로토콜에 의해 관리되는 형태이므로, 분산화와 고성능의 시스템 제공 간의 균형을 맞추는 방법을 검토해야 한다.

인공지능(AI)와 Web 3.0 플랫폼 간의 상호 운용성과 표준화를 보장하기 위해서는 원활한 상호 작용과 통합이 가능한 공통 프로토콜과 표준을 확립해야 한다. 윤리와 거버넌스 문제로 분산형 데이터에 엑세스하는 것은 데이터 사용, 편견, 거버넌스와 관련된 고려 사항을 제기하고 있으며, Web 3.0 환경 내에서 윤리적인 인공지능(AI) 관행을 보장하는 프레임워크를 개발하려면 협업이 필수적이다.

인공지능(AI)와 Web 3.0 간의 통합은 엄청난 혁신 기회를 창출할 수 있으며, AI 개발자와 블록체인 엔지니어 간의 협업 이니셔티브는 다양한 부분에 걸쳐 획기적인 솔루션을 제공할 수 있기 때문에, 분산형 시스템과 호환되는 AI 알고리즘을 개발하고, 인공지능(AI) 통합에 도움이 되는 블록체인 인프라를 구축하는 것이 중요하다.

인공지능(AI)와 블록체인은 현재 서로 다른 수용 수준에 있지만, 이 두 기술을 통합하면 엄청난 시너지 효과를 가져올 수 있기 때문에, 통합에서 발생할 수 있는 문제점과 고려해야 하는 사항에 사전 준비단계에서 잘 검토하여 준비한다면 큰 문제 없이 Web 3.0 영역에서 필요한 기능과 새로운 생태계를 구축하는데 도움이 될 것이다.

제 14 장

Web 3.0 기반 로열티(Loyalty)

Web 3.0 로열티(Loyalty) 264

제 14 장 Web 로열티 (Loyalty)

Web 3.0의 로열티(Loyalty)는 새롭게 떠오르는 영역으로, Web 3.0 구성 요소에서 중요한 역할을 담당하고 있다.

10년 전에는 브랜드가 대부분의 채널을 통제하고 전통적인 로열티 보상은 브랜드가 통제하지 않는 제 3 자 플랫폼에서 브랜드 상호작용이 점점 더 많이 이루어지는 구조이다 보니, 직접적인 고객 관계가 상실되면서 브랜드 참여에 대한 보상을 받지 못하는 구조였다.

	전통적인 로열티	Web 3.0 로열티
관계	거래 위주	게임화된
접근 방법	하향식 방식	상향식 방식
채널	소유 채널	모든 채널
사용자 여정	전통적인 로열티	순환 방식
경험	일반적인 형태	개인 맞춤 형태

출처 : Dematerialzd.xyz

보상체계가 플랫폼사가 제공하는 전체적인 틀안에서 이루어지는 구조이다 보니, 개인화나 가치가 부족하였으며, 많은 보상 프로그램은 고객와의 의미 있고 장기적인 관계를 조성하기 보다는 거래에 보상을 제공하는 방식으로 운영되었다.

실제로 소비자의 61%가 비즈니스 일부나 전체를 하나의 브랜드이거나 제공 업체에서 다른 브랜드나 제공업체로 전환하였으며, 소비자의 84%는 로열티 프로그램을 제공하는 브랜드를 계속 사용할 가능성이 높은 것으로 파악되면서, Web 3.0을 추진한는 기업이나 브랜드는 소비자와의 관계 구축과 충성도가 높은 고객을 확보 하고 유지하는데 초점을 맞추기 시작했다.

Web 3.0 로열티(Loyalty)는 통합된 소비자 프로필을 통해 높은 ROI(Return on Investment[1]) 캠페인을 가능하게 하여 브랜드는 어디에서나 소비자의 참여를 유도할 수 있으며, 소비자와 브랜드 간의 공정한 가치 교환을 가능하게 한다. 소셜 미디어에서 브랜드를 팔로우 하거나, 기사를 읽고 라이브 콘서트에서 NFT를 QR 코드 스캔으로 보상을 받을 수 있다.

소비자에게 더욱 의미 있고 직접적인 관계를 구축할 수 있으며 높은 개인화와 보상가치를 제공할 수 있음으로, 브랜드의 경우는 더 큰 소비자 옹호는 높은 로열티 유지율과 참여도를 높이고 더 높은 ROI를 제공할 수 있다.

1 ROI(Return on Investment)는 투자수익률로 투자가 수익창출에 얼마나 효과적인지 측정하는 지표

대표적으로 로열티 추진 사례로는 비자(Visa)의 8천만개 이상의 파트너를 위한 Web 30 로열티 솔루션 출시이다. (2024.1)

직불카드는 신용카드 보다 소비자가 선호하는 결제 카드로, 직불카드와 신용카드 생태계의 핵심 요소인 “은행간 수수료”가 더 낮은 장점이 있으며, 은행 간 수수료는 비자(Visa)가 거래를 처리할 때, 파트너 은행에 부과하는 거래수수료로 소비자의 직불카드 사용 증가와 새로운 규제로 인해 은행간 수수료가 낮아지고 캐시백 보상이 카드 발급자에게 매력적이지 않게 되면서 비자(Visa)가 소비자에게 보상을 제공하기 위해 더 저렴한 대안을 모색하게 된 이유이다.

출처 : Visa, Dematerialzd.xyz

기본 고객을 유지하는 비용은 신규 고객을 확보하는 것 보다 5 ~ 25배 저렴함으로 인해, Web 3.0 기반의 로열티 정채을 기반으로한 새로운 솔루션을 통해 보상에 대한 부담은 카드 발급자에게서 가맹점이나 브랜드로 이동하고, 디지털 보상은 기존 캐시백 보상에 비해 생성과 배포 비용을 저렴하게 할 수 있어, 보상 경험의 게임화, 개인화와 같은 옴니채널 경험을 통해 디지털, 물리적, 다양한 플랫폼 간에 로열티 프로그램을 연결할 수 있다. 이를 통해, 지속적으로 보상을 받고 고객을 만족시키며 브랜드는 소비자와 소통할 수 있는 새롭고 보다 직접적인 방법을 가져갈 수 있다.

비자(Visa)가 출시한 Web 3.0 로열티 프로그램은 80M+ 이상의 파트너가 사용할 수 있는 차세대 소비자를 참여시킬 수 있는 드래그 앤 드(Drag and Drop) 플랫폼으로 게임화 된 개인과 고객이 보상을 적용할 수 있는 브랜드 보관 지갑을 통해 로열티 프로그램을 활용할 수 있다. 브랜드인 비자(Visa) 입장에서는 CRM이나 실시간 이벤트 트리거를 통해 소비자의 활동과 개인화 된 고객 경험을 제공한다.

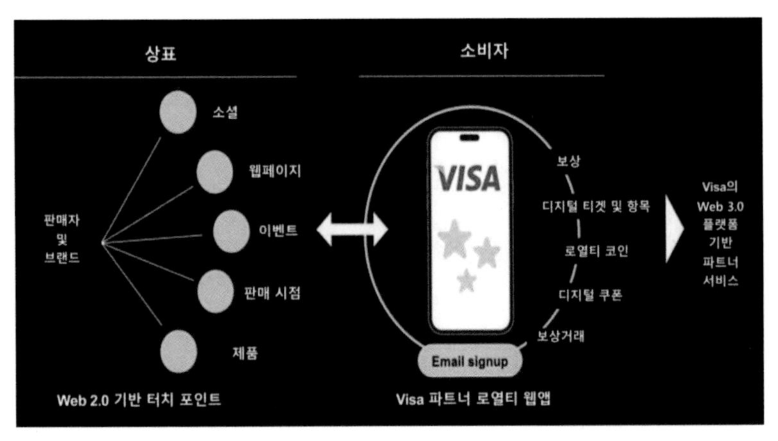

출처 : Visa, Dematerialzd.xyz

Web 3.0 로열티에서는 디지털 자산과 소유권 인센티브를 추가하여, 서비스형 게임화(Gamification-as-a-Service[2]) 솔루션을 브랜드 사이트에 직접 삽입되거나 앱 또는 기타 디지털 터치포인트 내에서 활용을 유도하는데 적용하면서 충성도와 게임화의 재미를 혼합하여, 로열티를 지속적으로 유지하면서, 새로운 고객을 확보하는 차원에서 활용되고 있다.

Web 3.0은 브랜드 자산을 온체인, 소유 기능, 구성 가능한 아티팩트를 활용하여 소비자에게 고유한 기능을 제공하고, 거래 인센티브에서 소유권 인센티브로 전환되고 있으며, Web 3.0의 주요 구성 요소로 마케팅과 혼합하여 적용하고 있다.

2 게임화(Gamification-as-a-service)는 게임이 아닌 분야인 마케팅, 교육, 건강, 소셜 미디어 등에 게임의 원리나 재미요소를 적용하는 것

제 15 장

Web 3.0 기반 마케팅(Marketing)

Web 3.0 마케팅 272
Web 3.0 마케팅 - 마케팅 퍼널 280
Web 3.0 마케팅 - 이벤트 284
Web 3.0 마케팅 - 커뮤니티 286
Web 3.0 마케팅 구축 사례 288

제 15 장 Web 3.0 마케팅

Web 3.0의 로열티를 알아보면서, 고객과의 접점과 새로운 고객경험을 제공함에 있어 중요한 요소로 자리매김함에 따라, 사용자를 마케팅 프로세스의 중심에 두고 신뢰를 재확립하고 투명성을 촉진하여 혁신적인 수익 창출 가능성을 도입하는게 필요함에 따라 Web 3.0 기반의 마케팅 전략에 맞게 접근 방법을 수립해야 한다.

Web 3.0 마케팅은 사용자가 기존의 광고 타켓팅이나 프라이버시 침입에 대한 경계가 심해지는 상황에 대응하기 위해, 사용자 자신의 데이터를 제어할 수 있도록 하고, 원하는 경우 수익을 창출할 수 있도록 하는 솔루션을 제공하는 것이 목적이며, 블록체인 기반 인프라를 통해 모든 상호 작용이 기록되고 검증 가능하도록 보장하여 사기 행위를 줄이고 마케팅 캠페인의 신뢰성을 높일 수 있다.

이와 더불어 암호화폐와 NFT를 활용하여 사용자 참여에 대한 보상을 제공하는 새로운 방법을 가능하게 하여 보다 공평한 마케팅 생태계를 구축할 수 있다.

기존의 Web 2.0 기반 마케팅과의 차이점은 마케팅 노력과 브랜드가 사용자에게 가치를 제공해야 한다는 것에 있으며, Web 3.0 기반에서는 네이티브를 넘어 사용자와 공감하는 방법을 강구해야 하며, 커뮤니티는 단지 같은 생각을 가진 사람들의 그룹이 아니라 인센티브, 재정적 성격을 지닌 사람들의 그룹으로 전환이 필요하다.

Web 3.0 사용자는 디지털에 훨씬 더 능숙하며, 마케팅 관련 발언에 대한 관용이 낮고 유망한 마케팅 카피를 꿰뚫어 보는 경험이 많은 세대로, 하이터치(High-Touch[1]) 경험을 기대하고, Web 2.0 사용자 보다 프로젝트에 더 많이 참여하기를 원하고 있음으로 인해, 마케팅 활동이 재미 있고 매력적이기를 원하면서 실제로 사용자에게 제공하는 가치가 무엇이든 사용자의 관심을 신속하게 포착할 수 있어야 한다.

Web 3.0 기반 성공한 브랜드의 마케팅 접근 방식을 살펴보면, NFT를 적용하여 접근하는 방식을 채택하였다.

스타벅스 오디세이(Starbucks Odyssey) 로열티 프로그램은 고객 충성도 포인트처럼 사소한 것에 NFT를 적용할 수 있는 잠재력을 파악한 프로젝트로 타 브랜드인 영국 기반 프레타 망제(Pret a Manager[2])는 커피 구독 모델로 커뮤니티 공유를 확보하려고 시도했지만, 스타벅스는 블록체인 사용하여 커뮤니티 공동 창작을 통해 혜택을 구현하는 방식을 채택하였다.

스타벅스 오디세이는 이름에서 알 수 있듯이 흥미진진한 새로운 혜택과

1 하이터치(High-Touch)는 소비자의 경험을 각각의 소비자에게 맞춤화하고 개인화하는 방식

2 프레타 망제(Pret a Manager)는 1983년 설립된 영국의 패스트푸트 체임점

경험에 대한 접근을 잠금 해제할 NFT를 획득하기 위한 일련의 재미있고 상호작용적인 활동을 통해 여정에 대한 경험을 제공하여, 토큰 기반 커뮤니티 경험을 통해 고객 충성도를 가장 잘 창출하는 방법을 적용한 사례이다.

나이키(Nike)는 물리적 유틸리티를 활용한 사례로, 디지털 세계와 실제세계를 통합하려는 비전을 실현한 운동화 컬렉션을 출시하고 디지털 아바타용 스킨과 운동화의 물리적 대응물을 사용하여 디지털 유틸리티를 만들었다.

나이키(Nike)외에 다수의 브랜드가 NFT를 적용하여 활성화하는 사례가 엄청나게 증가함에 따라 NFT의 기본 동기에 대한 대중의 회의론도 커졌음에도 불구하고, 대중에 대한 접근 방식과 대중을 끌어들일 수 있는 가치를 고민하여 커뮤니티를 통해 고객과 소통하고 공동창조와 같은 개념을 적용하여 커뮤니티에 물리적, 디지털적 이점을 활성화 하였다.

레딧(Reddit)은 디지털 컬렉터블(Digital Collectible) 프로젝트라는 아바타를 만드는 것이 항상 레딧(Reddit)에서 프로필을 여는 과정의 일부처럼 경험할 수 있는 방법을 적용한 Web 3.0 온보딩의 대표적인 사례이다. NFT를 아바타에 적용하면서, 기존 대상 고객이 신뢰할 수 있는지 여부에 대해 의문을 제기하지 않고 효과적으로 Web 3.0으로 전환될 수 있도록 가치와 표현을 고객이 이해하고 이를 수용할 수 있도록 추진하였으며, NFT의 부정적인 의미를 완화는 방식으로 부정적인 사용자 인식에 대해서 신뢰를 점차적으로 유지하는 방식을 채택하였다.

타임즈(TIMES)은 제품이 사용자의 마음을 사로잡는지 확인하는 방법 중 하나로 무엇이 사용자에게 공감을 불러일으키는지 테스트를 진행한 사례이다. 타임즈(TIMES)는 Web 3.0으로 전환하는 단계로 먼저 부테린의 사진을 표지로 한 매거진 에디션을 시작으로 NFT 영역에 진출하면서, 음반 프로듀서이자 음악 아티스트인 팀발랜드(TimBaland)와 함께 NFT 컬렉션을 출시하였다. NFT를 활용하여 독자들을 참여 커뮤니티로 전환하는 동시에 사회의 현대적 논쟁에 대한 인식을 가져오려는 장기적인 목표를 가지고 타임피스(TIMEpieces[3])를 출시하여, 청중 피드백을 기반으로 테스트하고 반복하여, 고객에 적합한 접근 방법과 경험을 제공하기 위해 최적화 방안을 채택하였다.

이와 같이 Web 3.0 기반으로 전환하면서, 브랜드별 사례를 통해 접근하는 방식과 추진 목표가 차이점이 있지만, 공통적으로 Web 3.0의 성공적인 추진을 위해서는 광범위한 생태계 형성이 중요한 것을 알 수 있다. Web 3.0 생태계를 설계하고, 성장하기 위해서는 비즈니스 개발, 마케팅 및 커뮤니티 개발 요소에 따라 달라지게 되며, 플랫폼의 가치 제안을 이해하는 동시에 더 나은 홍보를 달성할 수 있는 전술적 기술과 능력을 갖추어야 한다.

다수의 브랜드나 기업들이 Web 3.0 전략을 수립하고 강화하기 위해 새로운 아이디어를 연구하고 내부 팀을 통해 구성하여 추진하고 있으며, 이를 지원하기 위한 인력과 개발자를 조기 채용하여 성장 전략을 계획하고 있다.

3 타임피스(TIMEpieces)는 TIME의 Web 3.0 커뮤니티 이니셔티브이며, 2021년 9월 Build a Better Future를 통해 출시된 Genesis 컬렉션

Web 3.0 생태계를 구축하는 프로세스는 분산화된 Web 3.0의 처음부터 프로젝트를 육성하는 것과 같음으로 생태계 구축 단계에서 구축 한 후에 미래를 확보하기 위한 장기전략 수립이 필요하며, 생태계의 성장은 제 3 자 개발자의 성장과 직접적인 관련이 있음으로, 생태계를 강화히기 위해 중요한 요구사항 중하나인 매력적인 개발자 경험을 디자인 하는 것이다.

Web 3.0 생태계에 대한 개발자 경험을 만드는 과정에는 개발자 질문에 대한 답변 제공이 포함되며, 개발자 경험을 만드는데 필요한 코드 템플릿과 개발자 도구 생성이 필요하다. 개발자 경험을 담당하는 팀은 개발자 FAQ 유지관리를 포함하여 다양한 서비스를 제공하는 역할을 하며, 문서화 템플릿 코드를 찾는데 도움이 되는 개발자 사이트를 만들 수 있다.

그리고 대규모 블록체인 프로젝트를 진행하는 파트너에게 코드 리뷰를 제공할 수 있으며, 개발자 경험 팀은 Web 3.0 생태계에서 커뮤니티 중재자를 사용하는 것과 함께 텔레그램(Telegram)이나 디스코드(Discord)와 같은 플랫폼에서 고가용성 개발자 지원 채널을 개발하여 개발자 경험을 향상시킬 수 있다.

개발자 사이트는 개발자가 커뮤니티의 유기적 성장을 보장하는 첫번째 접점 역할을 할 수 있으며, 플랫폼을 사용할 수 있는 얼리 어답터의 신뢰를 얻는데 도움이 될 수 있어, 이에 만족한 사용자는 입소문을 통해 Web 3.0 플랫폼에 대한 추천을 유도하는데 도움을 줄 수 있다.

Web 3.0 생태계를 구축하기 위해서는 기본적으로 탈중앙화라는 인프라 계층인 블록체인을 기반으로 하며, 이더리움(Ethereum)이나 그외 블록체인인 솔리나, 폴리곤을 적용할 수 있다.

블록체인 인프라는 주로 분산형 애플리케이션(Dapp)에 필요한 백엔드 기능을 강조하고 있는데, 백엔드 기능에는 노드 공급자, 스마트 계약 프로그래밍 언어, 블록체인 탐색기, Web 3.0 API, 디지털 지갑과 개발 프레임워크가 포함된다.

Web 3.0 생태계 인프라는 기본 계층이나 레이어 1에서 블록체인 네트워크가 포함되고 레이어 2 에서는 노드 공급자가, 레이어 3 에서는 API, 레이어 4 에는 웹 개발도구가 포함되는 구조로 구성되어 있다.

Web 3.0 생태계를 위한 인프라를 구축한 후에는 애플리케이션 생태계를 매핑해야 하는데, Web 3.0 애플리케이션에는 분산형 금융(DeFi). NFT, 메타버스, 수익 창출 게임, 거버넌스, 신원 및 인증, 예측 시장, 소셜 미디어 등과 같이 다양한 유형이 포함되면서, 이를 기반으로 생태계 개발 작업을 진행함에 있어 분산형 Web 3.0의 특정 프로토타입을 구축하는데 필요한 기술에 대한 이해와 지원팀의 구성이 필요하며, 마일스톤이 포함된 공식 제품 사양에 대한 요청도 제공해야 한다. 그리고 분산형 프로토콜의 경우 효과적인 UI를 갖춘 거버넌스 포럼을 통해 스테이커가 거버넌스 제안에 투표할 수 있는 기능도 포함된다.

Web 3.0 생태계를 구축하는데 요구되는 사항과 준비사항을 수립하기 전에 필요한 것은 시장에서 필요한 것을 구축하고 있는지, 아니면 구축했는지 여부를 확인하는 것이다.

Web 3.0 서비스를 효과적으로 마케팅 하려면 제품을 구축하는데 검토해야 하는 경쟁환경에 대한 시장 조사와 제품이 필요하거나 혜택을 받을 청중에 대한 깊은 이해가 필요하다.

Web 3.0 영역은 분산형 금융(DeFi)에서 NFT, Web 3.0 게임 등에 이르기까지 많은 새로운 부분으로 인해 광범위하며, Web 3.0 시장을 조사하여 채워야 할 격차를 파악하고 새로운 제품이나 서비스에 대한 수요가 있는 곳을 찾는데 도움이 될 수 있다.

Web 3.0 시장의 어느 부문에 구축해야 하는지, 어떤 문제를 해결해야 하는 지에 대한 부분을 파악하는데 필요한 것은 동향과 추세를 분석하는 것으로 새로운 동향을 파악하고 틈새 시장에 대한 특정 지리적 지역이나 연령층을 대상으로 검토하여 보완적인 기능과 서비스로 확장하는 측면에서 단일 제품을 지속적으로 향상시키는데 초점을 맞추는 방법을 찾아야 한다.

Web 3.0 마케팅에는 경쟁조사를 통해 더 넓은 시장환경을 이해하는데 중요한 도구로, 다른 기업들이 무엇을 구축하고 있으며, 비즈니스를 어떻게 포지셔닝하고 있는지를 이해하는 것이 중요하다. 이를 위해 사용자 인터뷰를 통해 어떤 도구나 앱을 사용하고 있는지, 왜 다른 제품 대신 해당 제품을 선택했는지에 대한 답변을 통해 비즈니스에 많은 이점과 통찰력을 확보할 수 있다.

경쟁환경에서 무슨 일이 일어나고 있는지를 파악하기 위해서 크런치베이스(Crunchbase[4])나 엔젤리스트(AngelList[5])와 같은 연구 도구를 활용하여 특정회사를 검색하고, 자금조달 공지와 시장환경을 더 잘 이해할 수 있도록 안내하는 업계 보고서를 통해 추진 방안을 파악할 수 있다. 이와 더불어 구글(Google) 키워드 분석을 활용하여 누가 무엇을 위해 순위를 매겼는지 그리고 경쟁업체가 무엇을 위해 순위를 매겼는지, 잠재적 사용자가 무엇을 검색하고 있는지, 현재 어떤 콘텐츠가 인기가 있는지를 이해하는데 도움이 되는 도구이며, 구글(Google) 광고나 인플로우(Inflow)를 통해 누가 광고를 게재하고 있는지 모니터링 하는 것은 경쟁사와 경쟁업체의 시장 포지셔닝에 대해 자세히 알아볼 수 있는 방법이다.

Web 3.0 마케팅을 추진하기 위해서는 사용자를 식별하고 고객 페르소나를 생성하기 위해 다양한 도구를 사용해야 한다. 사용자는 새로운 제품과 서비스를 가장 먼저 시도하고, 신기술에 대한 열정을 갖고 기술에 정통한 사용자인 얼리 어답터, 암호화폐에 대한 열정이 있고 일반적으로 재정적 위험을 감수할 의향이 있으며 기술에 정통한 암호화폐 매니아, 기술에 능숙하지 않고

---

4 크런치베이스(Crunchbase)는 글로벌 IT 미디어 매체인 테크크런치(Techcrunch)로부터 분리된 독립회사로 기술기업 및 스타트업, 그리고 비즈니스맨, 투자 정보 등과 관련 정보를 제공하는 서비스

5 엔젤리스트(AngelList)는 스타트업이 엔젤 투자자로부터 자금을 찾는데 도움을 주는 웹사이트

온보딩에 더 많은 도움이 필요한 일반 대중 주류 사용자, 돈을 벌고자 하는 사용자로 제품보다 이익에 더 관심을 가지고 있는 투자자, 블록체인의 잠재적인 사회적 영향에 열정적이며 사이퍼 펑크나 오픈소스 정신을 공유하는 사회 활동가로 나누어 볼 수 있다.

다양한 사용자 유형에 따라, 적합한 고객 페르소나를 생성하기 위한 마케팅 전략이 필요하며, 이를 지원할 수 잇는 도구로는 소셜 미디어 플랫폼에서 청중의 행동에 대한 통찰력을 제공할 수 있는 소셜 미디어 분석 도구, 웹사이트와 상호 작용하고 이해하는데 도움이 되는 구글 애널리틱스(Google Analytics)와 같은 웹사이트 분석 도구, 기존 잠재고객과 사용자를 식별하고 타케팅 하는데 도움이 되는 트위터(Twitter), 페이스북(Facebook), 링크드인(LinkedIn)과 같은 플랫폼, 업계 뉴스와 동향에 대한 최신 정보를 얻을 수 있는 멜트워터(Meltwater)와 같은 미디어 모니터링 도구, 고객 상호 작용과 데이터를 추적하고 관리하는데 도움이 될 수 있는 허브스팟(HubSpot)과 세일즈포스(Saleforce)와 같은 내부 CRM 플랫폼이 있다.

WEB 3.0 마케팅 – 마케팅 퍼널

Web 3.0 마케팅을 추진하는 마케팅 담당자는 제품 인지도 부터 구매까지의 사용자 여정을 시각화 하는데 사용되는 모델인 마케팅 퍼널(Marketing Funnel)을 활용하는데, 마케팅 퍼널은 사용자 마케팅 활동을 통해 앱을 발견

하는 인지도와 사용자는 앱과 해당 기능에 대해 더 많이 배울 수 있는 교유, 사용자르 계정 생성, 구매 그리고 구독 구매와 같이 성공적으로 판매하고 전환하는 것으로 비즈니스 마다 다른 의미를 갖는 단계인 전환으로 총 3 단계로 구성되어 있으며, 각 단계에서 다양한 마케팅 전략을 배포할 수 있다.

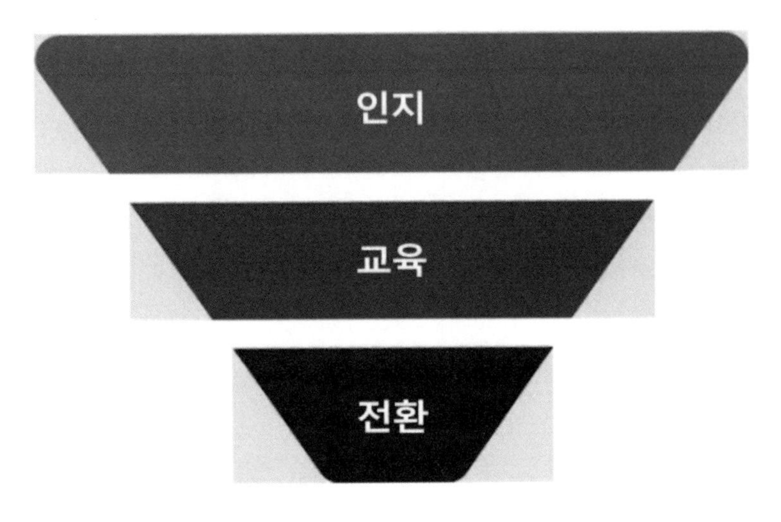

출처 : The Web3 Marketing Playbook

Web 3.0 마케팅 퍼널에서 첫 단계는 최상위 유입 경로(Top of The Funnel, TOFU)로 잠재적 사용자의 관심을 유도하고 사용자를 끌어들이는 것으로 잠재적 사용자가 앱에 대해 더 알고 싶어하게 만들어야 하지만, 판매를 강요해서는 안되는 방식이다.

TOFU의 목표는 청중의 관심을 끄는 것으로 웹사이트 방문자와 소셜 미디어 트래픽을 늘리고 가능한 한 많은 리드를 포착하는데 있으며, 광고, 소셜 미디어 웹사이트 또는 블로그에서 사용자가 가장 먼저 접하는 내용임으로 주의를 끌 뿐만 아니라 명확하게 설득력 있는 카피 작성이 중요하다.

시각적 요소는 관심을 끌고 잠재적 사용자와 감정적인 연결을 형성하는데 중요한 도구임으로, 대담한 시각적 요소를 사용하고 잠재적 사용자와 감정적인 연결을 만드는 강력한 방법인 스토리텔링을 활용하여 다양한 문제에 대한 개인적인 경험과 이를 극복하는 방안으로 사용자에게 가치를 제공하고 더 신뢰하게 만드는 방법을 설명하는 콘텐츠를 제작하는 것으로 감정적인 연결을 만들 수 있다.

사용 후기, 사용자 통계, 기타 행태의 사회적 증거를 사용하여 제품에 대한 소문과 활동이 있음을 보여주는 것에서 부터 사용자 유형별 개성을 수용하고 잠재 고객을 실제 사용자처럼 대하고 외부에 공유되는 표현과 언어를 주의 깊게 사용해야 한다.

Web 3.0 마케팅 퍼널의 두번째 단계인 MOFU(Middle of Funnel)은 Web 3.0 앱에서 관심을 보인 잠재적인 사용자와 관계를 구축하는 것이다.

잠재적 사용자를 실질적인 사용자로 전환하기 보다는 가치를 제공하는데 집중하는 것으로, 마케팅 메세지가 전환에 너무 초점을 맞추면 잠재적 사용자에게 부정적인 인식을 심어 줄 수 있어, 오히려 관심 밖으로 멀어지게 할 수 있음으로 이를 방지하기 위해 사용자에게 가치를 제공하고 신뢰를 구축해야 한다. Web 3.0은 빠르게 변화하는 영역으로 최신 트랜드와 유행에 쉽게 적응할 수 있음으로 잠재적 사용자와 지속 가능하고 장기적인 관계를 구축하는데 집중하는 것이 중요하며, 의미 있는 활성 사용자 수를 유지하고 확보하기 위해 커뮤니티를 지속적으로 관리하고 운영해야 한다.

만약, 커뮤니티를 제대로 관리하지 않으면 단순히 이익을 위해 판촉 활동을 하는 것으로 보일 수 있으며, 불필요한 광고 내용이 가득차게 됨에 따라 기존 사용자나 잠재적 사용자까지 관심과 로열티를 확보하기가 어려운 상황에 직면할 수 있다.

Web 3.0 기반 커뮤니티에는 서비스를 위한 내용부터 사용자의 문제를 어떻게 해결하는지를 보여주는 콘텐츠를 만드는데 도움이 되어야 하며, MOFU 단계에서의 커뮤니티 구성원이 제품에 대해 더 깊이 파고들어 제품이 사용자에게 어떻게 새로운 일을 할 수 있도록 지원하는지를 알 수 있도록 해야 한다. 소셜 미디어 게시물이나 동영상 등 일부 콘텐츠를 소개하는 것이 잠재적 사용자에게 신뢰를 구축할 수 있는 좋은 방법이 될 수 있다.

Web 3.0 마케팅 퍼널은 마지막 단계인 BOFU(Bottom of The Funnel)은 사용자들이 Web 3.0의 잠재고객에서 실제 고객으로 전환되는 것이다.

마케팅 채널은 사용자에게 접근하고 연결하는 다양한 방법이며 원하는 대로 옵션을 사용할 수 있다. 마케팅 채널애는 마케팅 메세지 배치와 배포 비용을 지불해야하는 유료채널로 클릭당 지불(PPC) 광고와 후원 콘텐츠가 있으며, 잠재고객이 여러 채널인 광고나 검색을 통해서 사이트를 방문하는 획득(Acquisition) 채널로 검색엔진 최적화(SEO[6]), 소셜 미디어 등이 포함된다. 회사 웹사이트, 이메일 마케팅 목록, 커뮤니티와 같이 전적으로 회사가 제어하는 소유 채널은 비즈니스와 청중 사이의 직접적인 커뮤니케이션 라인을 제공한다. 마케팅 채널은 초기 단계의 기업인 경우, 유로 채널로 확장하기전에 먼저 소유와 획득 채널에 집중하는 것이 좋으며, 유료 채널은 비용이 빠르게 높아질 수 있으므로 유로 채널에 대한 전용 지출을 설정하기 전에, 고객이 어떤 메세지를 클릭하는지 잘 이해해야 한다. 다양한 마케팅 채널에서 기대할 수 있는 ROI를 파악하면 최상의 결과를 위해 마케팅 예산을 어디에 할당할지를 결정하는데 도움이 될 수 있다.

WEB 3.0 마케팅 - 이벤트

Web 3.0 마케팅 퍼널 다음으로 중요한 것은 이벤트로, 서밋이나 컨퍼런스와 같은 이벤트는 업계의 리더나 혁신가와 소통할 수 있으며, 브랜드 인지도를 높일 수 있는 기회이다.

6 검색엔진 최적화(SEO)는 웹사이트가 검색 결과에 더 잘 보이도록 최적화하는 과정

디센트럴(Decentral)과 같은 컨퍼런스는 주로 Web 3.0 게임과 메타버스 커뮤니티를 끌어들이고 분산형 금융(DeFi) 브랜드에 더 적합할 수 있으며, 알고랜드의 디사이퍼(Decipher)와 같은 체인별 컨퍼런스는 알고랜드 생태계 내에서 구축되는 프로젝트에 적합할 수 있다. 이벤트 외에 규모가 작고 비용이 적게 드는 커뮤니티 모임과 해커톤은 Web 3.0 커뮤니티와 연결되는 좋은 방법으로, NYC의 비트뎁스(BitDevs[7])는 최초의 암호화폐 밋업 중 하나로 다른 빌더와 연결할 수 있는 유용한 방법이며, 많은 기업들이 다양한 밋업을 마케팅으로 활용하고 있다.

Web 3.0의 가상 이벤트는 타 이벤트 방식보다 훨씬 더 많은 관심을 끌 수 있으며, Web 3.0 마케팅 담당자의 툴킷에서 정기적으로 사용되고 있는 방법으로 Virtual Event Toolss인 Hopin, Zoom, GoToWebinar를 통해서 이벤트를 등록한 후에 가상 이벤트 룸을 호스팅하고 이벤트 알림, 후속 조치, 설문 조사와 같은 참여 기능을 활용하여 이벤트를 개최할 수 있다.

가상 이벤트는 직접 이벤트 보다 훨씬 저렴하고 이벤트를 준비하고 마케팅 하는데 소요되는 시간을 제외하면 거의 비용이 들지 않는 장점이 있지만, Web 3.0의 가상 이벤트 공간이 혼잡하고 항상 많은 이벤트가 발생하고 있기 때문에 특정 이벤트에 대한 많은 사용자를 확보하기가 어려운 문제도 있다.

7 비트뎁스(BitDevs)는 비트코인 및 관련 프로토콜의 연구 개발에 토론하고 참여하는 데 관심이 있는 사람들을 위한 커뮤니티

이러한 문제를 해결한 사례로 스택스 재단(Stacks Foundation[8])은 2년마다 열리는 비트코인 기반 구축 가상 컨퍼런스를 개최하고 있으며, 오프라인 컨퍼런스 보다 훨씬 저렴한 가격으로 커뮤니티의 새로운 구성원에게 교육을 제공하고 전체 생태계를 조성할 수 있는 기회를 확보함으로써, 컨퍼런스에 참여하는 구성원에게 커뮤니티를 기반으로 소통하고 새로운 정보를 공유하여 로열티를 확보하는 채널로 활용하고 있다.

WEB 3.0 마케팅 – 커뮤니티

Web 3.0 마케팅에서 제품이나 서비스를 중심으로 강력한 커뮤니티를 구축하는 것을 장기적인 성공을 위해 매우 중요한 방법으로, 커뮤니티를 구축하는 것은 사용자가 서로 상호 작용할 수 있는 다양한 기회를 제공하는 것에서 시작한다.

Web 3.0 커뮤니티는 일반적으로 디스코드(Discord)나 텔레그램(Telegram)과 같은 플랫폼을 기반으로 구축되며, 대상 하위 레딧 또는 디스코스(Discourse[9]) 포럼을 활용할 수 도 있으며, 트위터(Twitter) 공간에서 커뮤니티 이벤트를 주최하면 커뮤니티 참여를 촉진하는데 도움이 될 수 있다.

8 스택스 재단(Stacks Foundation)는 비트코인 네트워크를 활용한 메인넷 플랫폼인 스텍스(Stacks)를 개발한 회사

9 디스코스(Discourse)는 오픈소스 기반 온라인 포럼(forum) 솔루션

Web 3.0 커뮤니티 전략을 세울 때, 전세계에서 언제든지 사용할 수 있어야 하며 연중 무휴 24시간 지속적으로 운영이 필요하고 커뮤니티를 이용하는 사용자는 시기적절한 응답과 소통을 기대하기 때문에 커뮤니케이션 채널과 전략을 정의하는 것은 커뮤니티 구축에 있어서 중요한 부분이며, 대표적인 Web 3.0 커뮤니티로는 메이커다오(MakerDAO)나 유니스왑(Uniswap) 커뮤니티가 있다. 그리고 Community Advocacy는 커뮤니티에 참여해 소요되는 낮은 비용과 관련하여 높은 ROI를 제공하는데, ROI는 온라인 공유나 입소문 등 자체 채널에서 나타나는 경우가 많기 때문에 정확하게 측정하기 어려운 문제로 커뮤니티의 만족도를 측정하는 방법으로 신뢰할 수 있는 지표인 NPS(Net Promoter Score)지표를 사용하고 있다.

Web 3.0 마케팅은 투자로 적합한 투자 수익을 얻기 위해서는 추적을 사용하여 가장 수익성이 높은 마케팅 채널과 트래픽 소스를 확인 할 수 있으며, 마케팅 노력을 최적화하고 가장 많은 수익을 얻을 수 있는 우선 순위를 정할 수 있다. 우선 순위를 정할 수 있는 기준은 잠금된 총 가치(TVL)인 앱의 스마트 계약에 보관된 자산의 총 가치로 시장 견인력을 나타내는데 도움이 되며, 제품에 적극적으로 참여하는 주소인 활성 주소는 사용자 활동을 대표하는 것으로 시장 견인력을 나타내는데 도움이 된다.

고유 토큰 보유자인 대체가능 토큰(FT)나 대체불가능 토큰(NFT)와 관련된 특정 토큰을 보유하는 주소의 수로 사용자 활동과 계정을 살펴보는 방법이며, 앱이나 스마트 계약이 처리하는 거래 수인 거래량은 트랜잭션이 언제어디서 발생하는지, 사용자 행동과 앱 활동 급증을 유발하는 요인에 대한 통찰력을 얻을 수 있고 토큰의 총 시가 총액은 프로젝트의 시장 선호도를 나타내는 지표이다.

WEB 3.0 마케팅 구축 사례

성공적인 커뮤니티 구축 사례 중에 NFT 마켓플레이스인 감마(Gamma)는 브랜드가 변경된 웹사이트를 출시했을 때, 플랫폼의 여러 NFT 제작자에게 특정 테마에 대한 맞춤형 NFT 컬렉션을 만드는 방법을 검토하였으며 브랜드 변경 출시일에 맞춤형 NFT 컬렉션 서비스를 중단하고 모든 참여 아티스트가 컬렉션 홍보와 브랜드 발표를 할 수 있도록 지원하는 방식을 채택하여 커뮤니티 활성화와 성장을 주도하였다.

구찌(Gucci)는 공동 브랜드를 활용하고 커뮤니티 구축을 목표로 추진한 사례로 이를 통해서 알 수 있는 시사점은 브랜드 협업은 기존 Web 3.0 커뮤니티를 활용하고 학습 기회를 창출하기 위한 위험은 낮고 보상은 높은 전략이며, 단일 내러티브와 플랫폼을 중심으로 Web 3.0 이니셔티브를 통합하면 고객에게 많은 시너지 효과와 추가 유틸리티를 제공할 수 있다.

다양한 형식과 플랫폼을 실험할 수 있으나, 더 넓은 비전에 맞춰 조정이 필요하며 브랜드 목표와 디지털 전략에 맞춰 조정해야 한다.

Web 3.0 기반 으로 브랜드 경험 향상과 기술에 집중하기 보다는 고객 가치에 집중해야 하며, 브랜드 경험을 향상시키기 위해서는 브랜드를 개발하고 브랜드 권위를 분산 하여 그 과정에서 소비자에게 권한을 부여할 필요가 있다.

Web 3.0은 보다 유연하고 다양하며 협업적인 브랜드 경험을 위한 기회를 제공할 수 있으며, 고객과 브랜드를 위해 해결하고 있는 구체적인 문제에 대한 검토와 고객 경험이나 유용성을 진정으로 향상시키는 Web 3.0의 기능 검토가 필요하다.

출처 : Gucci, Dematerialzd.xyz

제 16 장

Web 3.0 탈중앙화 자율조직(DAO)

Web 3.0 탈중앙화 자율조직 292
Web 3.0 탈중앙화 자율조직 유형 295
Web 3.0 탈중앙화 자율조직 주요 특성 296
Web 3.0 탈중앙화 자율조직 구성 요소 300
Web 3.0 탈중앙화 자율조직 고려 사항 302
Web 3.0 탈중앙화 자율조직 구축 방안 304
Web 3.0 탈중앙화 자율조직 추진 사례 306

제 16 장 Web 3.0 탈중앙화 자율조직

Web 3.0의 구성 요소 중 탈중앙화 자율조직(DAO)는 디지털 시대에 새로운 형태의 집단 조직을 구성하는 것으로 탈중앙화를 보장하는 블록체인 기술을 사용하여 스마트 컨트랙트 기반으로 기능 규칙과 운영을 정의한 것으로 Web 3.0 마케팅에서 언급한 커뮤니티 구축 방안에서 활용되는 커뮤니티 유형이다.

탈중앙화 자율조직(DAO)는 전통적인 기업 형태와는 연관성이 없으며, 반드시 법인 또는 협회로 등록되거나 법적으로 인정되는 것이 아닌, 새로운 종류의 거버넌스 형태로 기술을 기반으로 하고 블록체인 네트워크에 배포된 스마트 계약의 사용하여 거버넌스를 가능하게 한다.

탈중앙화 자율조직(DAO)는 Web 3.0 거버넌스의 도구로 활용될 수 있으며, DAO 구성원의 참여와 투표 수단으로 토큰을 사용하는 것은 법률, 거버넌스, 게임 이론과 행동 경제학을 결합할 수 있는 새로운 기술 도구를 제공할 수 있다. 탈중앙화 자율조직(DAO)는 탈중앙화 거버넌스라는 개념이 오픈소스 소프트웨어의 거버넌스 탈중앙화와 유사한 것으로 법률, 기술의 진정한 촉매제이며, 거버넌스 시스템의 미래를 대표하며 거버넌스 전반과 민주적 참여를 변화시킬 수 있는 도구이다.

탈중앙화 자율조직(DAO)는 개방적이고 분산화된 특성을 가지고 있으며 구성원의 의지와 결정과 별개로 자율적으로 행동할 수 있는 것으로 스마트 계약의 컴퓨터 코드에 따라 설정되어 어느 정도는 자율적인 구조를 가지고 있으며, 디지털 방식으로 구성된 블록체인 네트워크 프레임워크내에서 존재하는 디지털 조직이다.

탈중앙화 자율조직(DAO)는 Web 3.0의 등장으로 갑작스럽게 나온 개념이 아니라, 이미 2015년 이더리움(Ethereum) 플랫폼이 프로그래밍 가능한 토큰과 복잡한 애플리케이션을 개발할 수 있는 기능을 제공하면서, 2016년에 첫 번째 탈중앙화 자율조직(DAO)가 시작되었지만, 스마트 계약의 버그로 인해 위기에 봉착했으나 새로운 거버넌스의 장을 여는 계기가 되었다.

2018년 부터는 본격적으로 탈중앙호 자율조직(DAO)의 생태계가 확장되는 시기로 유니스왑(Uniswap)은 가장 큰 DAO 중 하나이며 인기 있는 분산형 암호 화폐 거래소 역할을 하고, 비트다오(BitDAO[1])는 분산형 금융(DeFi) 영역에서 암호화 프로젝트와 파트너의 성장에 자금을 투자하는 역할을 제공하며, 다오메이커(DAOMaker[2]) 등이 이니셔티브를 시작한 해였으며, 2021년 7월 와이오밍 주는 DAO의 법적 지위를 보호하고 LLC로 등록할 수 있는 법안을 통과시키면서 미국에서 법인으로 인정된 최초의 DAO인 아메리칸 크립토페드 다오(American CryptoFed[3])가 나오게 되었다.

---

1 비트다오(BitDAO)는 블록체인 및 분산형 금융(DeFi) 생태계 내에서 프로젝트를 지원하고 자금을 지원하는 것을 목표로 하는 탈중앙화 자율조직

2 다오메이커(DAOMaker)는 사용자 중개 없이 암호화폐를 빌려주고 빌릴 수 있는 탈중앙화 자율조직

이러한 법안으로 인정 사례가 나오기 시작하면서 더 많은 주가 뒤 따르거나 변경된 버전을 채택하면서, 2023년에는 약 11,000개 이상의 탈중앙화 자율조직(DAO)가 블록체인에서 운영되게 되면서 DAO 생태계가 크게 확장되는 시기 이다. 탈중앙화 자율조직(DAO)은 회사의 공급망과 같은 다양한 프로세스를 최적화하거나 주주 투표, ESG 목표 설정이나 직원 참여 개선을 통해 기업 투명성을 강화하는데 사용할 수 있음으로 인해, 전통적인 기업 환경과 기타 기존 인프라내에서 DAO 구현 사례가 증가하게 되었다.

탈중앙화 자율조직(DAO) 생태계는 총 가치가 상당한 감소한 상태에도 불구하고 성장하고 있으며, 다른 디지털 자산의 가치와 밀접한 관련이 있어 DAO의 잠재력에 대해 여전히 낙관적인 상황이다. 탈중앙화 자율조직(DAO) 토큰을 보유한 시장 참여자의 수는 매월 증가하고 있으며 DAO 생태계의 규모가 커짐에 따라 성숙기에 접어 들면서 많은 영역에서 널리 채택됨에 따라 더 큰 영향을 미치기 위해 재정적, 자원을 보다 효율적으로 할당할 수 있다.

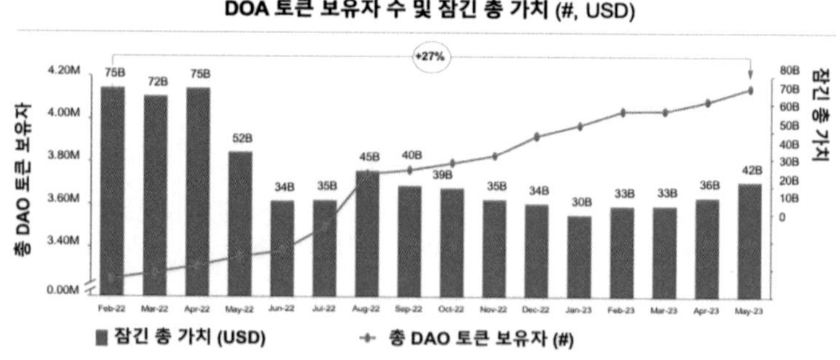

출처 : Daopulse, DeepDAO: EY-Parthenon analysis

탈중앙화 자율조직(DAO) 유형

탈중앙화 자율조직(DAO)는 토큰 기반과 평판 기반 그리고 이를 혼합한 하이브리드 기반의 유형으로 구성되어 있다.

토큰 기반 DAO는 탈중앙화 자율조직을 운영하는데 필요한 토큰을 중심으로 구성되는 형태로 토큰 참여자들이 DAO에 기여한 자산을 대표하며, DAO의 운영과 관련된 의사결정을 내리는데 사용될 수 있다. 그리고 투표, 보상 등을 통해 참여자들 간의 자율적인 의사 결정을 지원하며, DAO에 참여한 참여자들은 자신이 가진 토큰의 비율에 따라 DAO의 운영에 영향력을 줄 수 있다.

평판 기반 DAO는 참여자들의 평판을 기반으로 운영되는 형태로, 참여자들은 DAO 내에서의 활동을 통해 평판 점수를 쌓을 수 있으며, 이 평판 점수를 기반으로 참여자들 간의 의사결정이 이루어져 운영에 영향을 주는 형태이다.

하이브리드 DAO는 토큰 기반 DAO와 평판 기반 DAO의 요소를 결합하여 각각의 단점을 상호 보완한 형태로, 투표 결과를 조작할 수 있는 고객이 많은 경우 다수결을 이용하여 투표 결과를 조작할 수 있는 토큰 기반 DAO의 단점과 새로운 고객이 참여하기 어렵고 평판의 진실성과 정확성을 보장하기 어려운 평판 기반 DAO의 단점을 보완할 수 있다. 하이브리드 DAO는 일반적으로 토큰과 평판이라는 두가지 요소를 모두 고려하여 다양한 결정을 내리는데 활용될 수 있는데, 대표적인 사례로는 아라곤(Aragon[4]), 디오스텍(DAOStack[5])이 있으며, 이 플랫폼은 토큰 기반 DAO와 평판 기반 DAO를 모두 지원하고 사용자들이 자신의 DAO를 설정하고 관리할 수 있다.

탈중앙화 자율조직(DAO) 주요 특성

탈중앙화 자율조직(DAO)의 주요 특성은 자율적인 방식으로 많은 이해관계자 그룹에 걸쳐 인센티브를 조정하는 새로운 방법을 가능하게 하는 것이다.

탈중앙화 자율조직(DAO)는 블록체인 생태계에 고유한 새로운 형태의 비즈니스 로직으로, 창립 구성원이 처음에 설정한 규칙에 따라 자동으로 처리되는 기반으로 분산된 조직을 만들 수 있으며, 이상적인 형태의 DAO는 투명한 규칙과 알고리즘이 영구적인 형태의 조직을 대신하는 특정 목적을 위해 운영되는 디지털 협동조합이다. 탈중앙화 자율조직(DAO)는 의사 결정을 처리하는 방식과 제공하는 투명성이 기존 조직과는 다른 구조로, 개인과 공공 참여에 대한 제한된 구조로 구성된 기존 조직에 비해 제한된 구조가 아닌 낮은 진입 장벽으로 DAO에 참여할 수 있으며, 소유권과 통제가 분리되고 명확한 법적 지위가 보장된 분산형 거버넌스 형태의 커뮤니티 중심으로

4 아라곤(Aragon)은 코딩이 필요 없는 DAO생성 및 관리 플랫폼

5 디오스텍(DAOStack)은 새로운 형태의 웹 조직 DAO를 위한 운영체제

구성되며, 법적으로는 아직 불확실한 상황이지만 점차적으로 법적 지위를 보장하는 형태로 전환되고 있다.

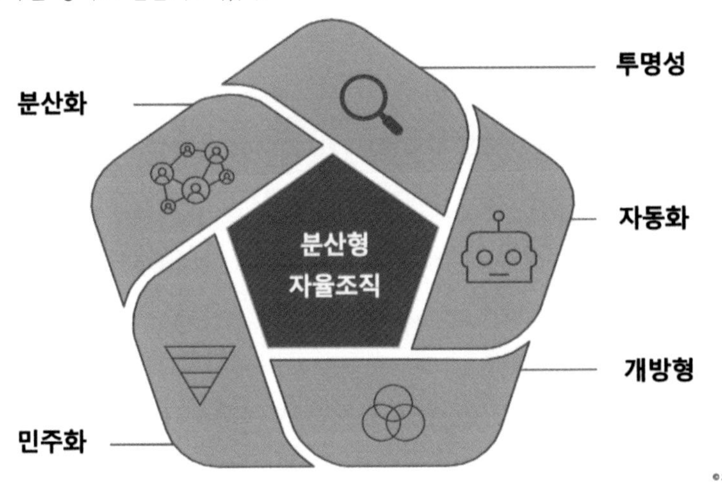

출처 : EY-Parthenon analysis

전통적인 조직을 위한 탈중앙화 자율조직(DAO)의 진정한 가치는 운영 효율성을 주도하고 혁신을 촉진하며 참여를 유도하는 분산된 특성에 있다.

운영 효율성 측면에서는 탈중앙화 자율조직(DAO)는 보다 안전한 계약 모델을 제안하여 참여자간의 불확실성과 기회주의를 줄일 수 있으며, 완전한 계약 모델은 경제 조정과 관련된 거래 비용을 줄이고 본인-대리인 관계에 대해 다른 접근 방식을 도입하였다.

혁신 가속화 측면에서의 탈중앙화 자율조직(DAO)는 협력, 컨소시엄 구성,

컨소시엄 생태계 등 비즈니스 모델 혁신의 가능성을 제시하면서, 상호 운용성으로 인해 다른 유형의 자산에 대한 접근 장벽을 낮출 수 있다.

이해관계자 참여 유도 측면에서는 탈중앙화 자율조직(DAO) 커뮤니티는 이해 관계자 참여와 조정을 통해 네트워크 효과를 유발하고, 블록체인 기술이 제공하는 익명성을 기반으로 참가자의 진입 장벽을 낮출 수 있으며, 디자인에 의해 주도되는 커뮤니티로서 소속감을 자극하여 공통 목적에 대한 유대감을 형성할 수 있다.

탈중앙화 자율조직(DAO)의 목적은 사람들이 DAO에 참여하고 장려하는 것으로 DAO의 활동과 의사결정에 뚜렷한 방향을 제시하고, 명확하고 설득력 있는 목적을 갖는 것은 DAO의 기여자와 구성원에게 방향, 초첨, 그리고 동기를 제공할 수 있으므로 성공적인 커뮤니티를 구축하는데 중요한 요소가 될 수 있다.

성공적인 커뮤니티를 구축하기 위해서는 여러 주요 성공 요인이 필수적으로 검토되어야 하는데, 참여적이고 활동적인 커뮤니티 형태여야 하며, 지속 가능한 Web 3.0 네이티브 비즈니스 모델을 기반으로 하고 탈중앙화 형태로 구성하는 것이다. 그리고 균형 잡힌 인센티브와 거버넌스 구조로 구성하여 세금과 규제지원이 포함한 법적 래퍼를 구성하는 것이다. 이와 같은 핵심 요소가 갖추어져 있으면 강력하고 지속 가능한 탈중앙화 자율조직(DAO) 생태계 구축이 가능해진다.

강력하고 탄력적인 DAO 생태계를 구축하려면, 신뢰와 투명성의 문화가 필수적으로 참여하는 커뮤니티를 조성하여 더 많은 회원을 유지하고 거버넌스에 대한 참여을 증가시킬 수 있다.

지속 가능한 비즈니스 모델은 탈중앙화 자율조직(DAO)가 수익을 창출하고, 운영 비용을 충당하여 지속적인 개발과 성장에 자금을 조달할 수 있도록 하기 때문에 DAO의 성공적인 구축에 매우 중요한 요소이다.

탈중앙화로 구성한는 것은 커뮤니티가 DAO의 운영과 의사결정에 대해 더 많은 통제권과 책임을 점진적으로 맡을 수 있게 해주기 때문에 DAO의 중요한 성공 요인이다.

균형 잡힌 인센티브 구조는 회원들이 거버넌스에 참여하고 DAO의 성장과 발전에 기여하도록 동기를 부여할 수 있으며, 재무의 건전한 수준을 유지하면서 공정하고 공평한 보상 분배를 보장하는데 도움이 된다.

법적 래퍼는 법적, 세금이나 규제 위험으로 부터 DAO와 회원을 보호하고 관련 법률과 규정 준수를 촉진하여 DAO가 전통적인 금융 서비와 시장에 접근하는 것을 장려하는데 도움이 될 수 있다.

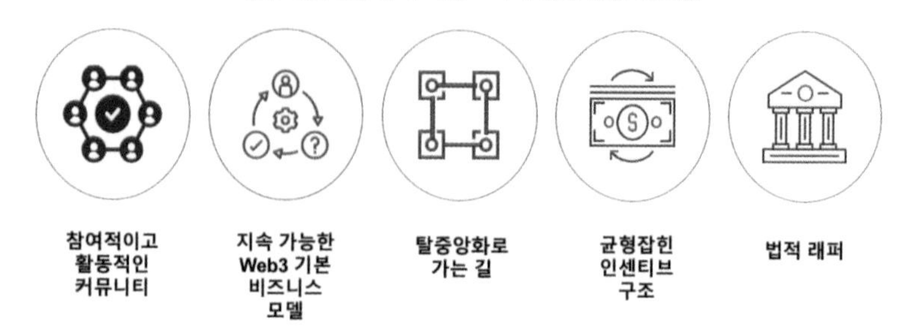

출처 : EY-Parthenon analysis

탈중앙화 자율조직(DAO) 구성 요소

탈중앙화 자율조직(DAO)은 기술, 경제와 법적 원칙을 결합하여 거버넌스 구조를 정의하고 구축할 수 있다. DAO의 거버넌스는 법적 규범, 경제적 원칙, 기술 사용에서 파생되는 제한 사항과 인센티브의 조합을 의미하는 것으로 법률, 거버넌스 원칙, 기술의 촉매재로서 적절한 역할을 수행할 수 있다.

탈중앙화 자율조직(DAO)은 분산원장(DLT)과 블록체인 네트워크를 기반으로 하여 스마트 계약을 중심으로 구성된다는 특징을 가지고 있으며, 스마트 계약에 내지된 자체 집행 가능성은 법률과 거버넌스 규칙이 탈중앙화 자율조직(DAO)에 통합되어 집행을 자동화하도록 보장한다.

분산원장의 프로토콜은 작성자의 규범적 선택을 시행하며, 각각의 설정에 따라 공공과 민간 행위자가 이를 활용하여 법률을 반영할 수 있고, 반영하지 않을 수도 있는 특정 규칙을 준수하는 거래 환경을 조성할 수 있다. 블록체인에서 실행되는 애플리케이션인 스마트 계약은 미리 결정된 규칙 세트를 자동으로 준수하도록 자체 시행되는 형태로 설계할 수 있다.

탈중앙화 자율조직(DAO)의 구성 요소에는 토큰, 스마트 컨트랙트, 투표 매커니즘으로 구성된다.

토큰은 DAO 내에서 사용되는 디지털 자산으로 회원이 가지고 있는 투표 권한과 같은 역할을 담당하고, 블록체인 기술을 활용해서 발행되는 구조로 블록체인 상의 거래소를 통해 거래되는 형태이다.

스마트 컨트랙트는 블록체인에서 DAO의 규칙과 조건을 자동으로 실행하는 프로그램으로, DAO의 참여자들은 스마트 컨트랙트를 통해 투표, 의사결정, 자산 관리 등을 수행할 수 있다.

투표 매커니즘은 DAO의 참여자들이 직접 투표에 참여할 수 있는 블록체인 상의 매커니즘으로 대다수 투표, 일반 투표, 가중 투표 등 여러가지 방식의 투표 매커니즘을 지원한다.

구성 가능한 거버넌스는 탈중앙화 자율조직(DAO)이 채택하고 블록체인 기술과 스마트 계약을 기반으로 거버넌스 시스템과 관련 될 수 있는 개념이며, DAO의 시스템은 모듈 형태의 구조로 단일 조직이나 여러 조직에 다양한 거버넌스 도구와 거버넌스 매커니즘의 조합을 허용하며, 알고리즘과 전통적인 거버넌스 수단을 결합한 형태이다.

Web 3.0에서 분산형 네트워크 기반으로 분산형 애플리케이션(Dapp)으로 구성되어 있는 분산형 조직을 위한 도구로서 탈중앙화 자율조직은 필수적인 구성 요소이다.

탈중앙화 자율조직(DAO) 고려 사항

탈중앙화 자율조직(DAO)을 구성하고 운영하기 위한 현재의 법률과 세금 환경은 DAO를 일반 파트너십이나 사업체로 간주될 수 있으므로, DAO에 소속된 회원의 세금 책임은 어떻게 처리할 것인지에 대한 문제점 부터 시작하여, 적용 가능한 세금체계가 있는지, DAO에 활용되는 토큰이 잠재적으로 추가적인 규정 준수 문제를 발생시킬수 있는지 등, 다양한 형태에서 발생할 수 있는 문제점에 대해 사전 검토가 필요하다.

탈중앙화 자율조직(DAO)과 관련된 법적 규제나 세금 체계에 대한 관리 방안이 구축되지 않은 상태로, 일부 커뮤니케이션에서는 문제점을 해결하기 위한 어떤 조치도 취하고 있지 않으며, 만약 문제가 발생하였을 때, 관리

주체도 미흡한 상황이다. 이러한 문제점을 해결하기 위해서는 탈중앙화 자율조직(DAO)은 법적으로 인정된 기업 형태나 새로 만들어진 법적 인정 형태로 구성되어야 한다.

탈중앙화 자율조직(DAO)를 위해 특별히 설계된 새로운 법적 프레임워크는 목적, 지리적, 종속성, 성숙도 및 허용 가능성 측면에서 기존 프레임워크와는 차이가 있다.

첫번째로 목적 기준에서 볼때, 전통적인 법적 프레임워크는 비즈니스 활동이나 자선 활동 또는 허용되는 기타 활동에 참여하기 위해 회사법에 다라 형성되고 관리되는 비즈니스 법안을 위해 설계되었다면, DAO를 위한 새로운 프레임워크는 DAO 생성을 장려하고 다양한 활동에 참여할 수 있도록 지원되는 형태이다.

두번째로 지리적 종속성 측면에서 전통적인 법적 프레임워크는 법인 속성 측면에서 전세계 여러 국가별로 공통된 기본 틀에서 다양한 유형으로 사용할 수 있지만 새로운 프레임워크는 제한된 국가내에서만 사용할 수 있다.

세번째로 성숙도 측면에서는 전통적인 법적 프레임워크는 잘 정립된 법적 관행을 통해 수년에 걸쳐 개발된 안정된 형태라면, 새로운 프레임워크는 아직 개발 중이거나 연구되고 있는 상황이라 법적 관행이나 판례에 대한 사례가 거의 없으며, 안정적인 형태가 아니다.

네번째로 허용 가능성 측면에서는 전통적인 법적 프레임워크는 현재의 법률이나 규제 환경과 확립된 판례법 관행이 허용하는 범위 내에서 DAO를 위한 적합한 법적인 부분은 조정이 필요하지만, 새로운 프레임워크는 DAO의 특별한 속성에 맞게 맞춤화 되어 있으나 법적 관행에 대한 관할권은 소수에 불과하다. 전통적인 법적 프레임워크 내에서는 DAO를 수용하는 입장에서 제한적일 수 밖에 없는 상황으로, DAO에 적합한 법적 구조를 적용하기 위해서는 먼저 DAO의 핵심 요소를 평가하여, 적합한 법적 래퍼를 검토해야 한다.

대부분의 경우 DAO 내에서 발행되는 토큰은 두가지 유형으로 발행이 되는데, 토큰 보유자에게 DAO 속성에 대한 투표권을 부여하는 거버넌스 토큰과 투자 수단으로 활용되는 증권형 토큰이 있다. 특히, 발행되는 토큰이 투자 수단에 대한 명시적으로 발행되지 않는 문제점이 있어서 증권형 토큰과 관련된 금융상품으로 간주되고, 규제대상이 될 수 있다. 거버넌스 토큰은 금융상품의 자격을 갖추고 금융 규제를 받을 수 있으므로, 증권법과 관련된 법적 영향을 고려해야 한다.

탈중앙화 자율조직(DAO) 구축 방안

탈중앙화 자율조직(DAO)을 위한 탄탄한 전략적 기반을 구축하려면 조직의 최종 목표를 명확하게 정의해야 한다. 탈중앙화 자율조직(DAO)의 목표를 정의하기 위해서는 전략, 토큰 경제, 사회성에 대한 요건을 활용해야 한다.

1. 전략은 DAO의 성장과 성공을 이끈는 장기적인 목표와 이니셔티브를 정의하고 실행하는 것이다.
2. 토큰 경제는 DAO를 위한 지속 가능한 토큰 경제학 구조 설계와 탄탄한 투자 전략 수립을 해야 한다.
3. 사회성은 DAO의 운영, 이니셔티브와 의사결정 프로세스를 통해 관련된 사회적, 환경적, 윤리적 문제를 해결함으로써 사화에 긍정적인 영향을 미치는 부분을 검토해야 한다.

정의된 목표를 기반으로 전략적 로드랩이 구축되면 조직은 DAO 환경을 성공적으로 탐색하기 위해, 구현의 5가지 주요 과제를 해결해야 한다.

첫번째로 운영(Operation) 측면에서 거버넌스 제안 참여율이 낮고, 토큰 보유자의 집중도가 너무 한쪽으로 집중되어 있거나 나쁜 리더십 또는 악의적인 행위자에 대한 보안 이슈에 대응해야 하는 과제들이 존재한다.

두번째 규제(Regulatory)는 불확실한 법제도나 규제, 세금 적용 기준이 아직은 명확하지 않은 상태이며, DAO의 자율적이고 정의된 규칙에 따라 동작하는 프로세스의 특성을 고려한 법적인 제도나 제제 환경에서 수용이 가능한지 여부이다. DAO는 새로운 형태의 커뮤니티 구조이다 보니, 현재의 규정 준수에는 적합하지 않는 형태로, 새로운 도전적인 상황을 야기하고 있다.

세번째로 업계 현황 상황으로, 탈중앙화 자율조직(DAO)의 대부분은 테스트를 완벽하게 거치지 않고 구축되는 경우가 다수 존재함으로 인해, 불법 행위자에 대한 악의적인 행위에 대해 제제나 조사를 진행하는 프로세스가 미흡한 상황이며, 현재 브랜드나 시장과의 적합성이 낮은 상황으로 성공적인 탈중앙화 자율조직(DAO)의 사례와 운영 현황에 대한 파악을 통해, DAO의 추진 방향성을 파약해야 한다.

네번째로 기술적(Technological) 부분에서 탈중앙화 자율조직(DAO)의 프로세스나 기능은 기본적으로 스마트 계약을 기반으로 동작되기 때문에, 스마트 계약의 검증과 안정성을 확보해야 하는데, 스마트 계약의 미흡한 테스트나 검증으로 인해 발생할 수 있는 버그에 대한 문제에 대해 대응 방안을 정의해야 한다.

다섯번째로 재정적인 부분에서 토큰과 재무의 변동성 문제와 토큰 자산에 대한 예산 편성 방안에 대한 부분, 탈중앙화 자율조직(DAO)의 운영 측면에서 지속 가능한 수익원 확보, 커뮤니티에 활동하거나 기여한 대상에게 어떤 방법으로 보상을 분배할 것인지 여부를 검토해야 한다.

탈중앙화 자율조직(DAO) 추진 사례

탈중앙화 자율조직(DAO)은 금융, 게임, 커뮤니티 분야에서 활용되고 있으며, 금융 분야에서는 블록체인 기술의 특성 상, 블록체인 네트워크에서 투명하고 신뢰성 높은 거래가 가능하기 때문에 이러한 장점을 활용하여 기존의 중앙 집중식 금융 시스템과 달리, 보다 빠르고 효율적인 거래를 지원할 수 있다. 금융 분야에서 추진된 사례로는 메이커다오(MakerDAO)로 이더리움 기반의 탈중앙화 자율조직으로, 다이(DAI)이라는 토큰을 발행하였으며, 미국 달러에 고정된 가치를 가지고 있어, 사용자는 안정적인 거래 수단으로 사용할 수 있다. 메이커다오(MakerDAO)는 투표 매커니즘과 스마트 컨트랙트를 활용해 다이(DAI)의 발행량을 조절하며 자금의 안정을 유지하는 프로세스를 운영하고 있다.

카이버(Kyber[6]) 네트워크는 이더리움 기반의 탈중앙화 자율조직으로 다양한 디지털 자산 간의 실시간 거래를 지원하며, 스마트 컨트랙트를 활용해 거래를 직접 처리하며, DAO 참여자들은 투표를 통해 거래 수수료 등을 결정하는 방식으로 운영되고 있다.

에이브(Aave[7])는 이더리움 기반의 탈중앙화 자율조직으로 대출과 예금이 가능한 플랫폼으로 다양한 디지털 자산을 지원하며, 대출 수수료와 이자율 등을 DAO 참여자들이 투표를 통해 결정하고, 참여자들은 에이브(Aave)에서 발행하는 수익을 공동으로 분배 받을 수 있는 방식으로 운영되고 있다.

게임 분야에서의 탈중앙화 자율조직은 블록체인 기술을 활용한 새로운

6 카이버(Kyber)는 탈중앙화 분산형 거래소인 DEX 기능을 구현한 암호화폐

7 에이브(Aave)는 개인이 암호화폐 자산을 대출하고 입금을 통해 수익을 올릴 수 있는 분산형금융 대출 프로토콜

게임 모델을 제공할 수 있다. 기존의 게임은 중앙 집중식 구조로 운영되기 때문에 게임 내 아이템의 소유권이 게임 운영자에게 집중되어 있는데 반해, DAO는 게임 내 아이템의 소유권을 분산화하고 게임 내에서 투명하고 공정한 거래를 가능하게 한다.

엑시인피니티(Axie Infinity)는 블록체인 기반의 게임으로 플레이어는 게임 내에서 엑시(Axie)라는 가상 생명체를 키워 전투에 참여하는 게임이다. 게임 내 아이템의 소유권을 블록체인 상에 기록하며, 플레이어는 이를 통해 자유롭게 아이템을 거래할 수 있는 구조로, 아이템 거래에 DAO를 활용하여 참여자들이 게임 내 경제를 운영하고, 엑시(Axie)의 가치를 결정하는 등의 의사결정을 하는 방식으로 운영하고 있다.

디센트럴랜드(Decentraland)는 블록체인 기반의 가상 세계로 플레이어는 이 가상 세계에서 가상의 땅을 소유하고 상호 작용할 수 있으며, 블록체인 상에 건물, 토지 등의 소유권 정보를 저장하고, DAO를 활용하여 플레이어들의 자유로운 거래를 포함한 가상 세계의 가상 경제를 운영하고 개발하도록 지원하고 있다.

크립토키티(CryptoKitties)는 블록체인 기반의 게임으로 플레이어는 가상의 고양이를 소유하고 이를 거래할 수 있으며, 각 고양이에게 블록체인 상에 고유한 ID가 부여되어 이를 통해 소유권이 보장되는 방식을 채택하고 있다.

커뮤니티 분야에서는 참여자들 간의 협업과 의사결정을 위한 새로운 방식을 제공하는 형태로 활용하고 있다. 기존의 중앙 집중식 커뮤니티에서는 참여자들이 플랫폼에서 주도하는 방식으로 운영되는데 반해, DAO를 활용한 커뮤니티는 참여자들 간의 권한과 의무를 분산화시켜, 더욱 공정하고 투명한 의사결정을 가능하도록 지원한다.

몰록다오(MolohDAO[8])는 이더리움 기반의 탈중앙화 자율조직으로 자금을 모금하여 프로젝트를 운영하는데 사용하고 있으며, 커뮤니티 내에서 참여자들의 자유로운 제안에 따라 자금 지원을 결정하고, 스마트 컨트랙트를 활용하여 커뮤니티 내에서 자금을 사용하기 위한 과정을 투명하게 관리하는 방식으로 운영하고 있다.

아르곤(Aragon)는 이더리움 기반의 탈중앙화 자율조직 플랫폼으로 사용자들이 쉽게 DAO를 생성하고 운영할 수 있도록 지원하고 있으며, 커뮤니티 내에서 참여자들은 자신의 의견을 제안하고 의사결정을 내리기 위한 투표에 참여할 수 있으며, 투표를 통해 결정된 사항은 스마트 컨트랙트를 통해 자동으로 실행할 수 있다.

다오스텍(DAOstack)는 이더리움 기반의 탈중앙화 자율조직 플랫폼으로 DAO를 생성하고 운영하는데 필요한 모든 기능을 제공하는 형태로 운영하고 있으며, 참여자들이 보상을 받을 수 있는 토큰 모델인 GEN 토큰을 발행하여,

8 몰록다오(MolohDAO)는 이더리움 생태계를 발전시키기위해 보조금을 수여하는 탈중앙화 자율조직

다오스텍(DAOstack) 플랫폼 내에서 자금을 이동시키는데 사용하고 있다. 다오스텍(DAOstack)은 스마트 컨트랙트와 인공지능(AI)을 활용하여 참여자들이 제안한 의견을 분석하고 의사결정을 내리는 데에 도움을 주며, 투표를 처리하여 결정된 사항은 자동으로 실행하는 방식으로 운영되고 있다.

탈중앙화 자율조직(DAO)는 Web 3.0 영역에서 추구하고 있는 탈중앙화 생태계와 토큰 경제학 모델에서 필수적으로 필요한 영역으로 자리매김하고 있으며, 참여자들의 소유권과 참여권한을 부여하여, 의사결정 프로세스를 통해 기존에 브랜드나 플랫폼사의 주도적이었던 서비스 형태에서, 참여자들과 같이 공동으로 서비스를 운영하는 방식으로 전환될 수 있는 기회를 제공하고 있다.

제 17 장

Web 3.0 보안(Security)

Web 3.0 보안 314

Web 3.0 보안 사고 유형 316

Web 3.0 보안 구축 방안 318

제 17 장 Web 3.0 보안

Web 3.0의 보안은 분산형 구조에서 중요한 영역으로, 소유권과 자기주권 신원에 대한 보장을 위해, DID(Decentralized Identity)라는 개인에게 자신의 신원 정보에 대한 통제권을 부여하고, 이를 다른 사람과 안전하고 선택적으로 공유할 수 있도록 하는 인증 개념이 도입되고 있으며, 영지식 증명 프로토콜을 통해 사용자는 개인 정보를 공개하지 않고 자신의 신원을 인증하거나 거래할 수 있는 기술이 도입되면서 안전한 서비스 환경과 보안 이슈에 대해 대응하고 있다.

Web 3.0 구성 요소인 블록체인으로 가능해진 개념인 탈중앙화 신원(DID)은 중앙화된 권한이 아닌 개인이나 자신이 속한 주체가 통제하는 디지털 신원을 의미하며, Web 3.0 에서는 기본적으로 활용하고 있는 기술이다.

DID는 개인에게 자신의 신원 정보에 대한 통제권을 부여하고, 이를 다른 사람과 안전하고 선택적으로 공유할 수 있도록 하는 것으로, 블록체인을 사용하여 분산된 네트워크에 디지털 ID를 저장할 수 있으며, 권한이 없는 개인이 데이터에 엑세스 하거나 데이터를 조작하는 것이 불가능하다. 블록체인 특성 중 하나인 투명성을 통해 개인은 자신의 디지털 ID를 효과적으로 추적하고 관리할 수 있으며, 영지식 증명 프로토콜을 사용하여 분산 ID 시스템에 추가적인 프라이버시 계층을 제공한다.

DID는 개인정보를 사용자의 단말기에 저장해, 개인 정보 인증 시 필요한 정보만을 선택하여 제출하도록 해주는 형태로, 발급기관으로 부터 발급 받은 인증서를 스마트 장치에 안전하게 저장하고 본인만이 접근할 수 있는 암호화 키로 보호하게 된다. 개인의 권한에 따라 공개 가능한 영역의 데이터를 제시할때 만, 데이터에 엑세스 할 수 있으며, 데이터를 오용하거나 수익을 창출하는 것이 어려워, 데이터 추적이나 유출과 같은 위험을 효과적으로 방지할 수 있다.

Web 3.0의 보안사고 유형에는 해킹 및 스마트 계약의 취약점과 러그 풀(Rug Pull), 논리 오류, 개인 키 손상 유형으로 나누어 볼 수 있다.

2023년 기준 총 351건의 해킹이 기록되었으며, 6억 500만 달러에 달하는 손실액은 강력한 보안 조치에 대한 시급성이 높아지고 있으며, 스마트 계약 취약점과 러그 풀(Rug Pull)이 각각 36건과 39건이 발생하였다.

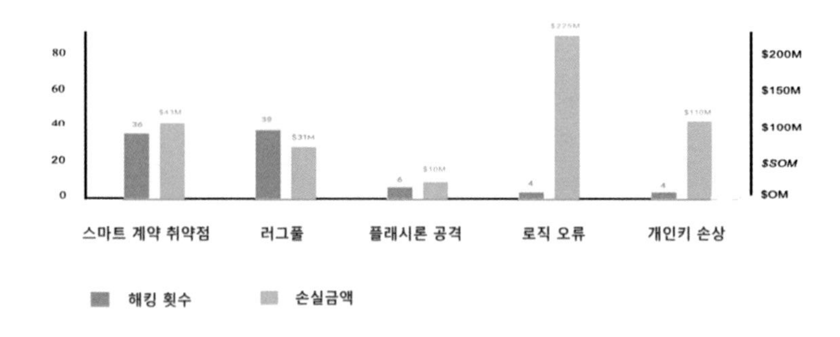

출처 : QuillAudits, The State of Web3 Security 2023

Web 3.0 부문에서 해킹으로 인한 누적 손실은 24억 6천만 달러 규모로 지속적인 취약성을 보여줌으로 인해, 사이버 보안, 규제 변화와 금융 혁신이 필요함에 따라, FTX, 바이낸스(Binance)와 같은 회사에 대한 영향력 있는 조치를 통해 "집행에 의한 규제"를 두배로 강화하고, 암호화폐 믹싱 서비스에 대한 규제에 초점을 집중하면서, 거래에 대한 개인 정보보호 문제나 Web 3.0의 보안 영역에서 위험 관리, 보안 조치, 지속적인 위협에 대해 대응하기 위한 방안에 대해 접근 방식의 중요성이 강조되기 시작하였다. 2017년에 설립된 바이낸스(Binance)는 불법 금융과 불법 거래 문제에 대해 전 세계적인 조사를 받았으며, 2023년에는 다양한 미국 규제 기관의 조사와 법적 조치로, 주요 업계 플레이어에 대한 엄격한 규제 시행이 이루어지면서, 규제 환경의 변화와 빠르게 진화하는 디지털 자산 부문과 관련된 위험을 해결하기 위해 결정적인 초지로 대응하고 있다.

Web 3.0 생태계가 직면한 위협의 본질은 지속적일 뿐만 아니라 진화하고 있으며, 해커와 악의적인 행위자의 지속적인 전략과 기술을 개선하고, 스마트 계약의 취약점을 악용하여 악의적인 시도를 하고 있다.

WEB 3.0 보안 사고 유형

Web 3.0 보안 사고 유형 중, 스마트 계약에 대한 공격이 큰 부분을 차지하고 있으며, 스마트 계약의 취약점을 대상으로 이루어지는 행위가 많으며,

개발자나 창업자가 갑자기 프로젝트를 포기하고 투자자의 자금을 빼앗아가는 사기인 러그풀(Rug Pull)은 덤프 계획, 매도 주문 제한 부과나 유동성을 끌어내는 방식 등으로 사고가 발생하고 있다.

스마트 계약에 대한 새로운 형태의 공격은 블록체인 서비스에 내장된 기본 논리를 표적으로 삼고 있으며, 스마트 계약 로직 해킹은 프로젝트 거버넌스, 상호 운용성, 암호화폐 지갑 기능, 암호화폐 대출 서비스를 포함한 다양한 서비스와 기능을 활용하고 있다.

플래시 론 공격(Flash Loan Attacks)는 자산을 빼돌리기 위해, 공격자는 무담보 대출을 이용하여 스마트 계약에 대한 여러가지 입력을 조작하여 해킹을 시도하는 형태이다.

크랩토 재킹은 악읫거인 행위자가 컴퓨터나 모바일 장치에 코드를 삽입하여 암호화폐 채굴을 위해 컴퓨터의 리소스를 이용하는 위험으로, 웹 브라우저 다운로드나 악성 모바일 애플리케이션을 통해 장치에 침투하여 스마트폰, 데스크탑, 노트북이나 네트워크 서버와 같은 다양한 장치를 손상시킨다.

러그풀(Rug Pull)은 개발자가 프로젝트를 포기하고 투자자의 자금을 탈취하는 암호화폐 산업 내에서의 악의적인 행위이며, 개인이 토큰을 개발하여 탈중앙화 거래소(DEX)에 상장하고 이더리움과 같은 주요 암호화폐와 결합하는 방식이다.

아이스 피싱(Ice Phising)은 사용자를 속여 악의적인 거래에 서명하도록 하는 블록체인 기반 공격이며, 공격자는 암호화폐를 제어하여 탈취하게 된다.

Web 3.0에 사용되는 다양한 프로그래밍 언어에 악성 스크립트를 삽입하여 공격자가 애플리케이션 명령을 실행할 수 있도록 하는 데이터 조작과 관련된 다양한 위험이 존재한다. 공격자는 사용자의 암호에 접근하고 콘텐츠를 제어하는 지갑을 복제하고, 정보에 대한 무단 엑세스를 하여, 네트워크를 통해 전송되는 암호화되지 않은 정보를 도청하거나 가로채는 행위를 일으키고 있다.

애플리케이션에 내장된 Web 3.0의 경제구조는 기존 클라우드나 IT 환경과는 달리 해커에게 독특한 동기를 부여하고 있으며, 기존 환경에서 서비스나 데이터가 명확하거나 즉각적인 금전적 이익 없이 표적이 되는 경우가 많았으나, 블록체인 애플리케이션은 상당한 가치를 블록체인 내에 직접 저장하는 경우가 많기 때문에 악의적인 행위자의 표적이 되고 있다.

WEB 3.0 보안 구축 방안

이미 언급한 다양한 보안 이슈로 인해 발생하는 보안 사고로 피해를 입을 수 있는 손실가치가 높은 것 보다 강력한 보안 프로토콜이 절실히 필요하다는 것에 공감하면서, 이에 대응하기 위해 고급 보안도구 개발이나 스마트 계약의 정기적이고 지속적인 모니터링 관리, Web 3.0 인프라 내에서 엄격한 보안 감사 프로세스 구현을 구축하고 있다.

보안 조치를 강화하는 것이외에도 포괄적인 위험관리 프레임워크가 매우 필요함에 따라, 이러한 프레임워크에는 기술적 방어 뿐만 아니라 보안 침애 발생 시, 신속한 탐지, 대응 완화를 위한 전략도 검토되고 있다.

Web 3.0 보안 사고에 대응하기 위해서, Web 3.0 보안 체계는 회사의 Web 3.0 프로젝트에 투자하기 전에, 실사의 필요성이 강조되면서 회사, 기술과 창립자에 대해 광범위하게 조사가 필요하며, 엄격한 보안 점검을 통해 잠재적 위험 신호와 취약점을 식별할 수 있어야 한다. 그리고 스마트 컨트랙트와 같은 애플리케이션의 보안과 신뢰성을 확보하기 위해 보안 감사 프로세스 구축이 필요하다.

Web 3.0 보안 모범 사례

배포전 포괄적인 코드 감사

보안 중심 설계 접근 방식

향상된 사용자 제어 키 관리

이중 인증 구현

출처 : PrimaFelicitas

거래 시, 개인정보 보호를 위해 블록체인에서 개인정보 보호와 익명성을 보장하는데 있어, 영지식 증명 기술의 중요성이 강조되고 있다. 영지식 증명은 한 당사자가 실제 기본 정보를 공개하지 않고 특정 정보에 대한 지식을 소유하고 있음을 다른 당사자에게 증명하는 암호화 기술로, 정보를 공개하지 않고 진위 여부를 확인할 수 있어서, 개인정보 보호에 보안과 효율성을 향상시키는데 활용하고 있다.

사용자의 인증 키 관리 부문에서 Web 3.0 인증은 블록체인 기술이 분산되고 신뢰할 수 없는 특성을 활용하여 사용자의 신원을 확인하는 방식으로 작동하는 것으로 여러가지 접근 방식이 있지만, 대부분은 확인을 위해 암호화 방법을 사용하고 있다. 대표적인 메타마스크(MetaMask)와 같은 Web 3.0 지갑을 사용하여 Web 3.0 인증 처리를 하게되는데, 사용자가 인증이 필요한 Web 3.0 애플리케이션이나 분산형 애플리케이션(Dapp)에 접근하게 되면, 사용자에게 개인키를 사용하여 메세지에 서명하고, 이를 애플리케이션이나 분산형 애플리케이션으로 전달하여 사용자의 신원을 확인하기 위해 사용자의 공개 키를 통해 서명을 확인한다.

Web 3.0 인증은 본질적으로 분산화된 블록체인 기술을 기반으로 구축됨으로 인해, 해커나 기타 악의적인 행위자가 표적을 삼을 수 있는 중앙 시스템이나 단일 실패지점을 찾을 수 없으며, 기본적으로는 무신뢰(Trustlessness[1]) 형태로 당사자간의 신뢰에 의존하지 않는 구조로, 이를

1 무신뢰(Trustlessness)는 블록체인의 근본적인 목적으로 의심할 필요가 없도록 만드는 것

보완하기 위해 암호화 방법을 사용하여 제 3 자의 인증 서비스 없이 사용자의 신원을 확인하므로 높은 수준의 보안을 제공할 수 있다.

사용자가 인증을 위해 이메일 주소나 전화번호와 같은 개인정보를 공개할 필요가 없기 때문에, 기존 인증 방법보다 더 비공개적으로 구성할 수 있으며, 개인정보를 공개하지 않는 암호화 증명을 기반으로 구성된다.

Web 3.0 인증은 상호 운용이 가능한 구조로 사용자는 동일한 ID를 사용하여 다양한 분산형 애플리케이션(Dapp)이나 플랫폼에서 인증할 수 있으며, 분산형 서비스를 더 쉽게 사용할 수 있도록 지원함으로써, 현재 많이 사용되고 있는 사용자 이름과 비밀번호에 대한 필요성이 줄어드는 장점이 있다.

Web 3.0은 블록체인 네트워크가 직면한 보안 문제를 해결하고 지속적인 발전을 보장하도록 구성되어야 한다. 기업에서 애플리케이션을 개발하여 서비스로 출시하거나 배포하기 전에 포괄적인 보안 감사를 수행하는 프로세스를 채택하고, 만약 배포 후에 보안 취약점이 발견되면 후속 버전에서 취약점을 개선하여 배포하는 작업을 진행하는 것이 중요하다.

보안은 새로운 기술 혁신이 성공하는데 가장 중요한 역할을 수행함으로 보안 중심의 설계 접근 방식으로 접근해야 하며, 이에 필요한 강력한 인프라와 보안 코드를 갖춘 기능과 플랫폼을 구성해야 한다.

Web 3.0 에서는 기존의 기업들이 키 관리에 의존함으로 인해, 보안 이슈에 대한 대응이 어려운 문제가 있었지만, Web 3.0 은 사용자 트랜잭션에서 암호화 키에 크게 의존하는 구조로, 향상된 사용자 제어 키 관리 기능을 구성해야 한다.

이러한 Web 3.0 기능은 개인에게 자신의 정보에 대한 더 큰 통제권을 부여함으로써, Web 2.0과 관련된 특정 데이터의 기밀성과 개인정보 보호 위험을 줄일 수 있다.

시각적으로 동일한 인터페이스를 사용하여 사용자를 속여 개인정보나 기밀정보를 해커에게 공개하는 소셜 해킹 문제에서도 이중 인증이라는 프로세스를 채택하여, 애플리케이션을 복제하여 유도하는 보안 이슈에 대응해야 한다.

진화하고 있는 사이버 위험과 점점 더 복잡해 지고 있는 다양한 보안 이슈에 대응하기 위해, 고급 사이버 보안 조치가 필요함에 따라, 블록체인 기술을 활용하여 보안 대응 매커니즘 구축과 Web 3.0 에서 규정 준수부터 지능형 위험 탐지까지 다양한 영역에서 혁신과 효율성을 보장하기 위해, 인공지능(AI)를 통한 보안 강화를 주도하고 있다.

제 18 장

Web 3.0 전망

Web 3.0 전망 326

제 18 장 Web 3.0 전망

2023년은 생성형 인공지능(AI)의 시대였으며, ChatGPT 열풍으로 AI가 테크 트랜드를 주도한 한해 였으며, Web 3.0 영역에서 Web 3.0 게임 환경은 상당한 발전과 추세를 목격했다.

게임 산업에서는 게임 목적에 맞게 특별히 맞춤화된 애플리케이션별 블록체인 네트워크가 등장했으며, 이러한 네트워크는 새로운 유형의 블록체인 인프라를 구성하여, 2023년에 출시된 네트워크의 43%를 차지하며, 전년(2022년) 대비 84%의 성장을 기록했다.

지리적으로 아시아 태평양(APAC) 지역은 Web 3.0 게임 개발팀의 가장 큰 점유율을 차지하며, 게임 산업을 일끌었으며, 특히 한국 기반 개발팀은 2023년에 상당한 성장을 경험했다.

Web 3.0 구성 요소 중에 하나인 실물자산 토큰화(RWA)에 대한 관심이 증대되면서, 실물 자산을 디지털 자산으로 전환하는 프로젝트가 활성화되었으며, 특히 증권형 토큰(STO)에 대한 새로운 먹거리 발굴을 위해 많은 기업들이 이 시장에 뛰어들기 시작했다.

이와 더불어 Web 3.0 구성 요소인 메타버스는 버추얼 크리에이터와 버추얼 아이돌 등 버추얼 휴먼 시장의 성장과 애플이 내놓은 혼합현실(XR) 헤드셋 "비전 프로"가 관련 트랜드를 주도하면서, 메타버스 산업의 성장을 주도하고 있으며, 토큰노믹스 생태계가 구축되면서 메타버스가 단지 가상세계를 경험할 수 있는 영역이 아니라, 현실 세계와 연결되는 새로운 형태로 발전되고 있다.

2023년의 다양한 영역에서 기반을 확립하고, 새로운 개념과 기술이 접목되면서 생태계를 구축하는 한해였다면, 2024년에도 2023년과 마찬가지로 인공지능(AI) 열풍은 계속해서 이어지겠지만, Web 3.0의 성장을 통해 구체화된 사례가 나오기 시작하고 이와 더불어 블록체인 기술이 큰 주목을 받는 한해가 될 것이다.

비트코인 상장지수펀드(ETF) 승인과 반감기 등 여러가지 이슈와 함께 가격 상승에 대한 기대감이 있으며, 다양한 블록체인 메잇넷의 등장과 실물자산 기반 토큰화(RWA) 시장의 확대, 증권형 토큰(STO) 등이 주요 트랜드로 자리매김 하고 있다.

다양한 영역에서 큰 변화를 일으킬 수 있는 Web 3.0은 현재 초기 단계 수준이긴 하지만, 앞으로 발전될 수 있는 무궁무진한 기회가 존재하면서도 활성화되고 널리 보급되기 위해서 해결해야할 문제들이 있다.

규제당국은 진화하는 환경에 따라 소비자와 투자자 보호를 보장하고 블록체인 기반의 계약의 합법성과 집행 가능성에 대한 방안을 검토하고 있으며, 이와 더불어 고객 파악(KYC), 자금세탁방지(AML) 표준과 같은 문제를 관리하기 위한 접근방식을 연구, 개발하고 있다.

가치제안과 사용자 경험 측면에서는 20년에 걸쳐 개발된 Web 2.0에 비해 Web 3.0은 아직 사용자 경험 표준이 상대적으로 열악하고, NFT와 RWA와 같은 Web 3.0 주요 구성 요소들은 많은 소비자와 기업에게는 여전히 불분명한 상태임에 따라, 최근 여러 Web 3.0 프로젝트가 실패하면서, 소비자 및 투자자 보호가 규제기관가 일반 대중의 초점이 되고 있는 상황이다.

Web 3.0이 해결해야 할 문제점들이 존재하지만, Web 3.0의 전망이 불투명한 것만은 아니며, 2024년에 Web 3.0은 다양한 영역에서 구체화되고 지속적으로 기반을 구축하며 발전할 것으로 예상되고 있다.

실물자산의 토큰화 영역에서 토큰화는 특히, 부동산과 농업과 같은 산업에서 자산 추적을 위해, 블록체인 기술을 사용하는 작업을 진행하고 있으며, 기업의 공급망 모니터링 및 금융 애플리케이션에 토큰화를 채택하는 사례가 늘어나고 있어, 기업의 토큰화 사용이 확대되고 있다.

많은 기업에서 ChatGPT의 붐에 따라, 인공지능(AI)가 우선시되면서 Web 3.0기술의 채택 속도가 느리게 진행되고 있지만, 새로운 적용 사례와 성공 스토리가 지속적으로 발표되고 있으며, 특히 대기업은 고객 로열티 프로그램에서 점점 더 Web 3.0 기술을 활용하여 NFT와 암호화폐에 대한 독특한 경험을 창출하면서 소비자 참여을 유도하고 있다.

Web 3.0 구성 요소들은 기존 서비스와 신규서비스에 도입되면서, 그 중에 몰입형 경험을 향상시켜 메타버스와 가상 소셜 네트워크의 발전에 기여하면서, 가상세계와 현실 세계의 융합을 이끌어가고 있다.

메타버스 개념이 성장함에 따라 가상자산을 검증하고 거래하는 블록체인의 역할은 게임, 엔터테인먼트와 디지털 재산권을 연결하는데 매우 중요해질 것으로 예상되고 있으며, 게임 산업에서는 게이머가 플레이하는 방법 뿐만 아니라 디지털 세계를 소유하고 신뢰할 수 있도록 재구성하는 방법을 재정의하는 방식으로 게임의 흐름을 변화시키고 있다.

현재는 Web 2.0과 Web 3.0 게임이 구분되어 있지만, 새로운 게임과 기존 게임 간에 원활하게 통합하고, 기존 게이머의 관심을 끌 수 있도록 균형을 유지하기 위한 목적으로 지난 2년 동안 지속적인 개발을 통해, 2024년에는 대규모 Web 3.0 게임 히트작이 표면화 되어 수백만명의 새로운 플레이어들을 이 영역으로 끌어들이고, 도미노 효과가 발생할 가능성이 높을 것으로 예상된다. 그리고 더 많은 게임이 블록체인 채택함에 따라 개발자와 플레이어 모두가 이익을 얻을 수 있는 무역 중심 환경으로 전환될 것이다.

Web 3.0 구성 요소 중에 중요한 영역을 차지하고 있는 인공지능(AI)는 현재 뜨거운 주제로 부상하면서, AI를 적용한 NPC는 더욱 다양한 대화와 매력적인 상호 작용을 할 수 있으며, 게임업체들의 Web 3.0으로의 전환은 가속화 될 것이다.

2024년에는 Web 3.0 구성 요소를 접목하여 서비스와 생태계 기반을 구축하는 단계에서 보다 더 발전된 방향으로 진행되면서 구체화될 것으로 예상 되며, 새로운 다양한 사용 사례를 통해 더욱 소유하기 쉽고 몰입도가 높으며 개인화된 인터넷이 만들어지고 있다.

앞으로 변화되고 발전되는 Web 3.0의 모습을 기대하며, 보다 더 많은 대중과 기업들이 Web 3.0에 대한 올바른 개념과 방향성을 잡을 수 있는 매개체가 되길 바란다.

제 19 장

참고 문헌

참고 문헌 334

제 19 장 참고 문헌

참고 문헌

- Vaynerx.com Deciphering Web3 Mar 2023
- Com Buldl Bandit, Top Web 3.0 Thrends and Predicitions For 2024
- Deloitte, Web3 2023 Barometer
- Bertelsmann Investments, Web3 Fundamentals
- Crypto Finance, House View Web 3.0 Report
- McKinsey & Company, What is Web3
- TenSquared Research, Web3 and Aretificial Intelligence : The State of Play, Feb 2024
- EY Parthnon, Unlocking the potential of Decentralized Autonomous Organizations (DAO) for traditional business models, June 2023
- MIT Computational Law Report, Deventralized Automous Organizations - DAOs : the Convergence of Technology, Law, Governance, and Behavioral Economics, Nov 2023
- Binance Research, Traversing Decentralized Storage, Oct 2023
- Microsoft, Decentralized Identity
- Blockchain Game Alliance, 223 State of The Industry Report
- Game7 Research, State of Web3 Gaming 2023
- 8 Pillars of Web3 Infrastructure
- KPMG, From NFTs to the metaverse are they game changers
- LABS3.IO Web3 / Metaverse Automotive Data Report
- Arthur D.Little. Web3 & Metaverse - The Rise of The New Internet & The India Opportunity 2023
- Toluna, A New Age of The Internet : Web 3.0, The Metaverse, And NFTs

· ANCHAIN.AI, Web3 Risk 2023 Annual Report
· Outlier Ventures, Beyond The Hype of Real World Assets
· Tokeny, Whitepaper, ERC 3643 The T-REX protocol
· Fireblocks, Unlocking the Next Wave of Tokenization Adoption
· Dematerialzed.xyz, Case Study Cucci's Web3 Playbook Oct 2023
· OpenCloset, Brand Study Adidas
· DelphiPro, Brands & NFTs : How Web3 Is A game Changer For Brand Growth
· Brand3index, Web3 maturity report
· YoursStory, Top 23 Web3 Innovations

Web 3.0은 블록체인 인가

초판 1쇄 발행 2024년 4월 24일

지은이 허강욱
펴낸곳 주식회사 부크크
출판등록 2014년 7월 15일 제2014-16호
주소 서울특별시 금천구 가산디지털1로 119 SK트윈타워 A동 305호
전화 1670-8316
이메일 info@bookk.co.kr
ISBN 979-11-410-8227-7

www.bookk.co.kr